体温を上げると健康になる

医師 齋藤真嗣
Saito Masashi

サンマーク出版

はじめに

あなたは自分の平熱を知っていますか？

私は日米両国で医師として仕事をしていますが、日本では自分の平熱を知らない人の多さに驚かされます。

体温は健康状態を知るうえで、とても重要なファクターです。

たとえば風邪をひいたとき、多くの人は病院に行くかどうかを、熱が高いかどうかで判断します。ごく一般的な感覚では、三七度程度であれば微熱なので市販の風邪薬を飲んで済ませ、三八度まで上がると病院に行って診療を受けたほうがいい、と考えられているようです。

しかし、単純に体温の数値だけでは、それが微熱なのか発熱なのか、正しい判断はできません。

なぜなら、平熱が三六・五度の人にとって三七度は微熱ではありませんが、平熱が三五・五度の人にとっては、同じ三七度でも発熱の危険性があるからです。

ふだんから自分の平熱を知っておくことは、健康管理をするうえでとても大切なことなのです。


あなたの平熱は何度ですか？


じつはいま、平熱が三六度以下という「低体温」の人がとても増えています。

低体温は、体にとってとても危険な状態です。

しかし、ほとんどの人にそうした自覚はありません。そのため、体温が少々低いぐらいたいしたことではないと、多くの人が低体温を放置してしまっています。なかには「私はもともと平熱が低いんですよ」となぜか自慢げに話す人までいます。

低体温は、放っておくと、さまざまな病気を招くとても危険な状態です。

肌荒れ、便秘、歯周病といった比較的軽い症状から、胃潰瘍、糖尿病、骨粗鬆症、潰瘍性大腸炎、ガン（悪性腫瘍）、メニエール病、間質性肺炎、パーキンソン病、認知症といった深刻な病気まで、さらには喘息、アトピー、花粉症といった一度発症すると完治のむずかしいアレルギー疾患も、低体温によって発症・悪化する危険性があるのです。

本書は、そんな怖い「低体温」がなぜ起きるのか、そして低体温だとなぜ病気を招いてしまうのか、最新の医学知識を盛り込みながら説明するとともに、低体温を改善し、健康な体を手に入れるための、もっとも効果的な方法を述べたものです。

あなたは健康体の平熱は何度か知っていますか？

健康な人の平熱は、三六・八度 ±〇・三四度。つまり、三六・五度～三七・一度の間が健康体の体温です。

あなたの体温は、この範囲に入っているでしょうか？

健康な体温が意外と高いことに驚かれた方も多いことと思います。

だるさやつらさなど病的な自覚症状がなければ、三七度は微熱ではなく、健康な体温なのです。

かつて、医療があまり発達・普及していなかった時代においては、「高熱」は死に結びつくとても怖いものでした。とくに日本においては、腸チフスやマラリアなど高熱を伴う感染症で多くの人が亡くなった時代があったので、熱に対して恐怖心が強いようです。

しかし、抗生物質が普及し、医療が発達した現在では、発熱よりも低体温のほうが、本当は危険なのです。

ですから、もしあなたの平熱が健康体温の範囲を下回っていたら、それは体からの危険信号だと思ってください。

では、なぜ「低体温」になってしまうのでしょう?

そもそもの原因は「ストレス」です。

現代社会はストレス社会ともいわれるように、私たちは日々多くのストレスを感じながら生活しています。

ストレスには、身体的ストレス、精神的ストレス、環境ストレスなどいろいろなものがありますが、大きく分けると一過性の「小さなストレス」と、慢性的に続く「大きなストレス」に分けることができます。

でも、私たちの体には、そうしたストレスに対処し、健康を保つための機能が二つ備わっています。

一つは自律神経のバランスです。

私たち人間の体は、「交感神経」と「副交感神経」という二つの自律神経が交互に体を支配することでバランスをとっています。

たとえば、働いているときや運動をしているときなど、アグレッシブに活動しているとき、体は交感神経の支配下にあります。逆に、寝ているときやリラックスしているときは、副交感神経が支配しています。そして、私たちの体をさまざまな病気から守ってくれている免疫システムも、この自律神経のバランスのもとで機能するようにプログラムされているのです。

自律神経のバランスが、バイ菌やウイルスなど体の外側から侵入してきたストレスから体を守る免疫系システムを司っているのに対し、もう一つの機能は、体を構成している細胞が受けたダメージ、つまり体の内側で生じるストレスに対して働きます。

これがホルモンバランスです。

このホルモンバランスを司っているのは、「副腎」という腎臓の上にちょこんと載っている、おにぎり型の小さな目立たない臓器です。腎臓のそばにあるので「副腎」という名がついていますが、これは腎臓の機能を補佐するための臓器ではありません。副腎は、細胞がダメージを受けたとき、「コルチゾール」というホルモンを出すことで、細胞のダメージを回復させるという役割を担っています。

このように「免疫系」と「ホルモン系」、二つの機能が働くことで、私たちの体はさまざまなストレスから身を守っているのです。

この二つの機能が正常に働いていれば、私たちは健康を維持することができます。でも、その機能にもやはり限界はあります。大きなストレスが長期間続くと、交感神経または副交感神経が過剰に緊張し、自律神経のバランスが崩れてしまいます。同様に副腎も、大きなストレスが長期間続くと、疲弊してコルチゾールを出せなくなってしまいます。

自律神経のバランスが崩れると、血液の流れが悪くなり、血流障害から低体温になります。同様にホルモンバランスが崩れると、細胞の回復が遅くなり、細胞自体のエネルギーが低下するので、やはり低体温になります。

ですから「体温」は、これらの機能が正常に働いているかどうかを知る、もっともよい指標といえるのです。

ごくかんたんにいえば、体温が正常なら、免疫システムもホルモンの分泌も正常、発熱といわれるほど体温が高い状態は、体内に起きた異常を正常化するために免疫システムが稼働している状態、そして反対に低体温は、免疫システムの能力が低下するとともに、ホルモンの分泌に異常をきたしている状態ということです。

なぜ低体温だと病気になるのでしょう?

体温は免疫力に非常に大きな影響を与えます。

体温が一度下がると、免疫力は三〇%も低くなります。免疫力が低下すると、バイ菌やウイルスから体を守れなくなったり、免疫の誤作動によって自分自身の免疫が自分の体組織を破壊して病気を引き起こしたりします。

また、詳しくは本文で述べますが、低体温は体内を酸化させ、老化スピードを促進させてしまいます。さらに、健康な細胞は低体温だと新陳代謝が悪くなるのですが、

ガン細胞は、逆に三五度台の低体温のときもっとも活発に増殖することがわかっています。

つまり低体温になると、病気に対する抵抗力が下がり、抵抗力が低下したことによって病気が発症・悪化し、それによって体内環境が悪化すると、さらに低体温になるという「負のスパイラル」にはまり込んでしまうのです。

では、どうすれば健康でいられるのでしょう？

健康で病気になりにくい体を手に入れるもっともシンプルで効果的な方法は、体温を上げることです。**体温を一時的に上げる努力をする。そして、体温を恒常的に高い状態に保つ努力をする。私が「体温アップ健康法」と名づけた、この二つを実践すれば、健康な人生を手に入れることができます。**

先ほど体温が一度下がると免疫力は三〇％低下するというお話をしましたが、逆に体温が一度上昇すると免疫力はどのくらいアップするかご存じでしょうか？

じつは、驚くべきことに五〇〇～六〇〇％、つまり、体温がたった一度上がるだけ

で免疫力は五倍から六倍も高くなるのです。風邪をひいたときに発熱するのも、体温を上げて免疫力を高めようとする、体の防衛反応です。

低体温が免疫力の低下と病態のさらなる悪化を招く「負のスパイラル」を生み出すのとは反対に、体温の高い状態を意識的につくりだしていけば、免疫力を高め、細胞のダメージを回復させることでホルモンバランスを整え、健康維持機能を正常な状態に保つことができるようになります。

本書のタイトルどおり、体温を上げることで、人はストレスに強く、病気になりにくい健康な体を維持することができるのです。

体温を恒常的に上げるもっともよい方法は何だと思いますか？

結論からいうと、それは、「筋肉を鍛える」ことです。

筋肉は最大の熱産生器官です。男性より女性に冷え性の人が多いのも、女性のほうが、筋力が低いからなのです。

ここで注目していただきたいのは、「筋肉を増やす」のではなく、「筋肉を鍛える」

とお伝えしている点です。筋肉を鍛えると、筋肉はある程度増えますが、ただ筋肉を増やすだけでは筋肉を鍛えることにはなりません。

とくに、筋肉が増えることに抵抗感をおもちの女性の方に知っていただきたいのですが、筋肉を鍛えることと筋肉を増やしてムキムキの体になることは、まったく別なのです。

筋肉を鍛えてくださいというと、女性は、女性らしい美しいプロポーションを失うのではないかと心配する方が多いのですが、**筋肉を鍛えることは、むしろ美しいプロポーションを長く維持するためには必要不可欠なことです。**

悲しいことですが、どんなに美しいプロポーションも、年齢を重ねるにつれて徐々に重力に負け、その美しさを崩してしまいます。しかし、適切な部位の筋肉をしっかり鍛えていれば、鍛えられた筋肉が重力と戦い、美しいプロポーションを保ってくれるのです。

低体温が、細胞レベルで体にダメージを与えているということは、逆の見方をすれば、体温を恒常的に高い状態に保つことは、たんに病気になりにくいというだけでなく、細胞レベルからあなたを若々しくしてくれる、アンチエイジングのとっておきの秘策でもあるということです。

つまり、体温を恒常的に高くすることは、病気の人を健康に、体調のすぐれない人を元気に、そして健康な人はより美しくなる、「万能の健康メソッド」なのです。

医師として、あえて断言します。

体温を上げると、健康になる、と。

自分の体がいったいどれほどすばらしい機能をもっているのか、まずはそのことを全体像として大きくとらえ、体温を上げることのすばらしさを知っていただきたいと思います。

そして、何よりも大事なのは、頭で理解したことを日々の生活に生かし、あなた自身の生活のクオリティを上げていただくことです。

本書が、あなたの体温とあなたの人生のクオリティを上げることに役立つことを心から願っています。

体温を上げると
健康になる

もくじ

第1章

体温を上げると病気は治る

第2章

これが「体温アップ健康法」だ

第3章 ストレスが低体温人間をつくる

第4章

低体温を防ぐ理想の生活習慣

装丁◎渡辺弘之
本文ＤＴＰ◎日本アートグラファ
編集協力◎板垣晴己・磯崎博史
編集◎高橋朋宏・平沢 拓（サンマーク出版）

第1章

体温を上げると病気は治る

体温が一度下がると免疫力は三〇％低下する

皆さんは風邪(かぜ)気味のとき、お風呂に入りますか？

私が子どものころには、熱を測って三七度あったら入らないほうがいいといわれました。

ところがいまでは、逆のことがいわれるようになりました。

つまり、寒気を伴うような高熱のときの入浴は控えたほうが安全ですが、三七度を少し超えるくらいであれば、お風呂に入ってじっくり体を温めたほうが風邪は早く治るというのです。

なぜ体を温めると風邪が早く治るのでしょうか。

それは、体温を上げることによって、免疫力が高まるからです。

私たちの体を守っている免疫システムは、体温と密接に関係しています。

体温が一度下がると免疫力は三〇％低下し、逆に体温が一度上がると免疫力は五〇〇〜六〇〇％もアップします。

計算が合わないと思われるかもしれませんが、免疫力が上がるというのは、白血球の数が増えるということではなく、一つの白血球がもつ能力と精度がアップするということなので、こうしたことが成立しうるのです。

でも、体温が高いとなぜ免疫力が高まるのでしょう。

理由は二つあります。一つは血液の流れがよくなること。もう一つは酵素の活性が高まることです。

血流がよくなると免疫力が高まるのは、そもそも免疫機能をもった白血球が血液の中に存在しているからです。

血液が、体を構成する約六〇兆個もの細胞に栄養と酸素を送り届け、かわりに老廃物を持ち帰る働きを担っていることはよく知られていますが、血液にはもう一つ、とても重要な働きがあります。それが免疫システムです。

白血球が血液を介して体の中を巡ることで、ごくかんたんにいえば、体の中に異物が侵入してきていないかどうか、パトロールしているのです。そして、異物を発見するとすぐに対処するのですが、このとき白血球は自分で対処するとともに、白血球の応援隊を呼びます。

こうした白血球の素早い対処によって、健康な体は侵入した細菌やウイルスを駆除し、健康を保っているのです。

でもこのとき、血液の流れが悪かったらどうなるでしょう。

白血球は血液の中に存在しているので、血流が悪いと、呼ばれても素早く応援に駆けつけることができなくなってしまいます。ウイルスなど異物の駆除に必要な量の白血球が応援に来られなければ、免疫機能がウイルスや細菌に負け、結果的に発病してしまいます。

ですから、体温を上げ、いつも血流をよくしておくことが、免疫力の向上につながるのです。

「風邪かな？」と思ったら風呂に入りなさい

もう一つの理由、酵素活性も重要なファクターです。

私たちの体は何をするにも酵素が必要です。

酵素というと、消化酵素やアルコール分解酵素といったものを思い出される方が多いと思います。酵素とは何かをひと言でいうと、体内で化学反応が起きるときに必要な「触媒」なのです。

生命体が生きていくためには、体内でさまざまな化学反応が絶えず行われています。たとえば、食べものやアルコールなどを消化する「分解」も、栄養を体内に取り込む「吸収」も、老廃物を体外に出す「排出」も、また、細胞が新陳代謝するのも、細胞がエネルギーをつくりだすのも、突き詰めれば、すべて酵素という触媒を必要とする化学反応です。

人間の生命活動や生命維持に必要な酵素は、細胞内でつくられますが、その酵素の生成にも別の酵素が用いられますから、酵素はまさに生命維持に必要不可欠なものといえます。

その大切な酵素が活性化するのが、じつは体温が三七度台のときなのです。体温が高ければ高いほど、酵素の働きはよくなります。

まさに体温が高くなったときに白血球の能力と精度がアップする最大の理由も、酵素が活性化するからなのです。

酵素は熱に弱いとよくいわれますが、それは食べものに含まれる酵素が加熱されることによって壊れることをいっているのであって、体温にかぎっていえば、高ければ高いほど酵素は活性化すると考えてください。

酵素が壊れるのは、最低でも四八度以上。人間の体温がそこまで上がることは絶対にないので、酵素が壊れることを心配する必要はありません。

風邪をひいたときに発熱するのも、血行をよくするとともに酵素活性を高めることで、免疫力を高め、ウイルスを撃退しようとしているからなのです。ですから風邪のひきはじめにお風呂に入ることは、免疫システムがウイルスと戦いやすい環境を外から整えてあげることになるので、風邪が早く治るというわけです。

「風邪をひいたかな?」と感じたら、お風呂にゆっくり浸かり、いつもよりしっかり体を温めるようにしてください。そして顔が少しほてるくらいに温まったら、湯冷めしないように温かい格好で充分な睡眠をとるようにしましょう。

微熱で解熱剤を使うのは本末転倒

体を温めることは、風邪にかぎらずどんなときにも実行してほしい健康法です。

ここに書くのは少々恥ずかしいのですが、**私は幼いころ、風邪をひいたり体調が悪くなったりすると、必ずパンツを二枚はかされていました。**

くしゃみをしたり咳をしたり、風邪の兆候が現れると、祖母から「風邪薬」ではなく、パンツを渡されるのです。

いまにして思えば、パンツを二枚はくことで体を温めていたのだということがわかりますが、当時は恥ずかしいやら不思議やらで、祖母に「どうしてパンツを二枚はかなければいけないの」と聞いたことがあります。祖母は「これは先祖代々の齋藤家の言い伝えだから」というだけできちんとした理由は説明してくれませんでしたが、このおまじないのような方法が、とても効果があったのです。

パンツにかぎらず、お風呂でも腹巻きでもカイロでも湯たんぽでも、どんな方法でもいいので、とにかく体調がすぐれないときは体を温めることが大切です。

ところが、多くの人はこれと対極のことをしてしまっています。

その代表が「風邪薬」です。

「風邪かな？　と思ったら○○」といった風邪薬のテレビCMをよく目にしますが、風邪気味ぐらいで薬を飲むのは、かえって体によくないので絶対にやめてください。

一般的な風邪薬というのは、風邪の原因となるウイルスに対処するものではなく、諸症状を緩和する薬品成分がいろいろと含まれたものです。そして、そうした薬品成分の多くは副交感神経の働きを抑え、交感神経を刺激するものなのです。

そのため、働きすぎで疲れている人が風邪薬を飲むと、ただでさえあまりよくない血行がさらに悪くなり、低体温を招いて、免疫力が低下してしまう危険性があります。

風邪薬よりさらに悪いのが「鎮痛解熱剤」の服用です。

鎮痛解熱剤のほとんどは、交感神経を高める性質をもっています。でも、リスクはそれだけではありません。**この薬が危険なのは、文字どおり体温を下げる薬だということです。**

熱に弱い人やふだんから低体温の人は、三七度でも熱っぽいだるさや発熱のつらさを感じることがあるので、解熱剤を服用してしまうことがあります。しかし、先ほど説明したとおり、その熱は体が免疫力を高めてウイルスと闘うために必要な熱です。それを解熱剤で下げるということは、免疫システムの足を引っ張る裏切り行為であり、まさに本末転倒な行為なのです。

ですから、こうした解熱剤の危険性を熟知した医師は、かんたんに解熱剤を処方することはありません。

高齢者など体力のない方の場合は、三八度二分ぐらいで解熱剤を必要とする場合もありますが、そのときには解熱剤としてはもっとも体に負担のかからないアセトアミノフェン系の薬を、その人の状態を見ながら微妙に調節し、体温が三七度台後半を維持するよう細心の注意を払って投与します。けっして「毎食後一錠ずつ」というようなおおざっぱな処方はしません。

本来、薬の処方というのは、それほどむずかしいものなのです。たとえ市販薬であっても、けっして安易に飲まないようにしてください。

現在アメリカでは、初期の風邪で薬を処方することはほとんどありません。医師である私自身、風邪のときに飲むのは、薬ではなく、ビタミンCとマグネシウムぐらいです。なぜマグネシウムをいっしょに摂るのかというと、ビタミンCは、バイオフラボノイド類、カルシウム、マグネシウムといっしょのときにもっとも効率的に働くからです。そしてふだんの食生活ではマグネシウムが不足しがちなので、ビタミンCの働きをよくするためにいっしょに摂るのです。

体温が低いとガン細胞が元気になる

「低体温の人はガン細胞が増殖しやすい」ということをご存じでしょうか。

じつは、**ガンを発症する人には低体温の人が多く、また低体温だとガン細胞の増殖スピードが速くなる**のです。

なぜ低体温だとガン細胞が増殖しやすいのか。このことを説明するには、かなり古い話から始めなければなりません。

いまから二十億年ほど前、私たちの古い古い祖先を生み出すことになる「受精」が行われました。

それは、「原始細胞生命体」と「ミトコンドリア生命体」の受精です。

私たち人間も、現存する多くの動物も、酸素がなければ生きられませんが、生命が誕生した当時の地球には酸素がありませんでした。そのため、最初の生命体は、酸素がなくても生きられるものとして誕生しました。これが「原始細胞生命体」です。

私たちが酸素を必要としているのは、エネルギーを獲得するのに欠かせないからですが、原始細胞生命体は「嫌気性代謝」といって酸素を必要としない方法でエネルギーを獲得します。

その後、地球上に酸素が誕生すると、酸素を使ったエネルギー代謝「好気性代謝」を行う生命体が現れます。それが「ミトコンドリア生命体」です。

私たちは、この「原始細胞生命体」と「ミトコンドリア生命体」が合体することで生まれた第三の生命体の子孫なのです。私たちの細胞の中にミトコンドリアが存在することがそれを物語っています。

ほかにも、証拠があります。私たちの体の中には、いまも先祖の姿を残す細胞、つまり「嫌気性代謝を行う細胞」と「好気性代謝を行う細胞」の性質をもった細胞が受け継がれています。

いったい何だと思いますか。

それは、男性の「精子」と女性の「卵子」です。

精子が嫌気性代謝を行う「原始細胞生命体」、**卵子が好気性代謝を行う「ミトコンドリア生命体」**というわけです。

嫌気性代謝を行う細胞というのは、酸素の少ない状態、つまり体の中の状態でいえば温度の低い環境のほうが状態もよく、細胞分裂も活発になるという性質をもっています。

これに対して好気性代謝を行う細胞には、血液の豊富な温かい環境のほうが適しています。

よく男性の睾丸は冷やしたほうがよく、女性のお腹は冷やしてはいけないといいますが、これは精子が嫌気性代謝を行う細胞で、卵子が好気性代謝を行う細胞だからなのです。陰嚢（いんのう）がいわば体の外側にあるのは、温めすぎると精子が死んでしまうからと考えられます。

私たちの体を構成している細胞は、精子と卵子が結びついたものなので、嫌気性代謝と好気性代謝、両方のエネルギー獲得サイクルをもっています。

たとえば、ウォーキングのような軽い運動を有酸素運動といいますが、このとき使われるエネルギーは、酸素を使ったエネルギー代謝によってつくられたものです。ところが、ベンチプレスや重量挙げのように、激しい運動をするときには、好気性代謝ではエネルギーの供給が間に合わなくなるので、体は嫌気性代謝によってエネルギーをつくるように切り替わります。激しい運動のとき、息を止めているにもかかわらず、大きなエネルギーが出るのはこのためです。

前置きが長くなりましたが、**ガン細胞が低体温のときに増殖しやすくなるのは、じつはガン細胞が嫌気性のエネルギーによって増殖する細胞だからなのです。**

正常な細胞がガン化するというのは、ミトコンドリア生命体から受け継いだ好気性代謝の経路が破壊され、嫌気性エネルギーで増殖する細胞に変化するということを意味しています。

嫌気性代謝を行うガン細胞にとっては、低体温のほうが、都合がいいのです。ガン細胞はガン患者だけにあるのではありません。健康な人であっても、毎日、いくつものガン細胞がつくられては消えていくのです。

ですから、ガンになりたくなければ、体温を恒常的に高い状態にしておくことが何よりの予防法といえます。

また、**体温を上げることは、すでにガンになってしまった人にも大きなメリットがあります。**

それは「ナチュラルキラー細胞（ＮＫ細胞）」というガン細胞を攻撃してくれるリンパ球の一種の活性化が進むからです。ＮＫ細胞の活性度が上がるのは、体温が三七度以上のときです。

ですから、お風呂に入ったり、ストレッチをしたりする習慣は、体に大きな負担をかけることなく体温を上げることができるので、体がガン細胞と闘うのを助けることにもつながっていくのです。

メタボが怖いのは「悪玉ホルモン」を生み出すから

厚生労働省が発表した『平成十八年国民健康・栄養調査』によると、四十〜七十四歳の男性の二人に一人が、女性では五人に一人がメタボリック・シンドローム、またはその予備軍だといいます。

ご存じの方も多いと思いますが、ここで一度メタボリック・シンドロームの診断基準を確認しておきたいと思います。

①内臓脂肪の蓄積

腹囲（へそまわり）　男性八五センチ以上　女性九〇センチ以上

②血清脂質異常

中性脂肪一五〇mg／dℓ以上　HDLコレステロール四〇mg／dℓ未満

③高血圧

最高血圧一三〇㎜Hg以上　最低血圧八五㎜Hg以上

④高血糖

空腹時血糖　一一〇mg／dℓ以上

①の内臓脂肪の蓄積に加えて、②から④のうち二項目以上に当てはまるとメタボリック・シンドロームと診断されます。

先ほど四十〜七十四歳の男性の二人に一人が、女性では五人に一人がメタボリック・シンドロームだという調査結果をご紹介しましたが、実際には男性がメタボになるリスクは、女性の四倍もあるといわれています。

男性のほうが女性よりメタボリック・シンドロームになりやすいのには、じつは医学的な原因があるのです。

メタボリック・シンドロームの病態生理学的原因は三つあります。

一つは「食べすぎ」、二つ目は「運動不足」、ここまでは誰でもご存じだと思います。問題は次の三つ目の原因です。じつはこれは、男性だけに当てはまるものなのです。そしてこれこそが、男性のメタボリスクを高めている原因なのです。

何だと思いますか？

それは、「男性の更年期障害（ＰＡＤＡＭ）」です。

昔は更年期障害があるのは女性だけで、男性に更年期障害はないと考えられてきました。しかし、男性でも更年期障害に苦しむ人が増えるに従い、研究が進み、認知度も上がってきています。

女性の更年期障害が、女性ホルモンであるエストロゲンの低下によってもたらされるように、男性の更年期障害は、男性ホルモンであるテストステロンの低下によってもたらされます。ともに性ホルモンの低下によって起こるのは同じですが、その症状はまったく違います。

女性の更年期障害が、生理不順やホットフラッシュと呼ばれる、ほてりやのぼせなどの身体症状を主とするのに対し、男性の更年期障害は、うつ病に似た精神症状を主とします。そのため、男性のうつ病患者の中にはかなりの数の男性更年期障害が含まれているといわれています。二〇〇七年三月に東大病院の泌尿器科が出した論文によれば、中高年の男性のうつ病の五〇％はうつではなく更年期障害だったといいます。

女性の更年期障害は、症状の程度に違いはあるものの、閉経期には誰もが経験する自然のリズムに即したものです。しかし男性の更年期障害は、あきらかな異常です。

本来、男性ホルモンは、三十歳をピークに年に一％ずつ、死ぬまで徐々に低下していきます。これが健康な人の正常な性ホルモン減少パターンです。

ところが、男性更年期障害が現れる人というのは、年に一％ずつしか減少しないはずのテストステロンが、急激に低下してしまうのです。男性更年期障害のさまざまな症状は、この自然のリズムに反した「急激なテストステロンの低下」によって生じています。

では、なぜ急激な変化が起きてしまうのでしょう。なぜそうした人がいま、増えているのでしょう。

それは、その原因が「ストレス」にあるからです。

なぜストレスによってテストステロンが低下するのか、そのメカニズムは後ほど述べるとして、ここではテストステロンの急激な低下がメタボリック・シンドロームに関係しているということを理解していただきたいと思います。

注目すべきポイントは、メタボリック・シンドロームは、中高年に多いということです。

たんに食べすぎと運動不足が原因なのであれば、十代や二十代の若い世代にも同じ割合でメタボリック・シンドロームの人がいてもいいはずです。

しかし、実際には**同じ食べすぎと運動不足の状態でも、若い人は内臓脂肪ではなく皮下脂肪として蓄えられるため、肥満にはなってもメタボリック・シンドロームになる人はあまり多くありません。**

実際、さまざまなデータを見ていくと、テストステロンと内臓脂肪には、ほとんど反比例の関係があることがわかります。つまり、男性ホルモン「テストステロン」が低下すると、同じ脂肪の蓄積でも、皮下脂肪ではなく、内臓脂肪として蓄えられやすくなるということです。

内臓脂肪と皮下脂肪、つく場所が違うだけで同じ脂肪だと思ったら大間違いです。なぜなら**内臓脂肪には、皮下脂肪にはないとても怖い性質があるからです。**

それは「アディポサイトカイン」と総称される、体に悪影響を及ぼすホルモンを生産するという性質です。

通常、ホルモンというのは、適量なら体によいが多すぎると悪影響を及ぼすというように、人間と同様一概には悪玉とも善玉とも言い切れない性質のものですが、このアディポサイトカインだけは違います。ほとんどが「悪玉ホルモン」で、生産されないほうがいいホルモンなのです。

アディポサイトカインに含まれる代表的なものとしては、インシュリンの働きを低下させて糖尿病を誘発する「レジスチン」や、血管に炎症を起こして動脈硬化を誘発する「TNF—α」などがあります。内臓脂肪の蓄積が糖尿病や高血圧、脂質異常症を促進させる理由も、このアディポサイトカインにあるのです。

このように、男性更年期障害による男性ホルモンの低下が内臓脂肪の蓄積を促進するので、同じ中高年でも、男性のほうが女性よりメタボリック・シンドロームのリスクが四倍も高くなってしまうのです。

男性の「朝立ち」は、女性の生理と同じくらい重要

男性の更年期障害は、女性のように劇的な身体的症状を伴わないため、自分でも更年期障害になっていることに気づかないことがほとんどです。

また、女性には女性特有の病態を専門とする「婦人科」があるのに、「男性科」がないことも男性更年期障害を発見しにくくしてしまっている原因の一つです。

では、どうすれば、自分が更年期障害になっているかどうか、知ることができるのでしょう。

女性の場合、生理が遅れたり、早くなったり、周期が乱れることで、女性ホルモン

が低下してきていることを知ります。

じつは男性にも、女性と同じように、性ホルモンの低下を教えてくれる指標があるのです。それは「朝立ち」です。

朝立ちというのは、朝、目を覚ましたときに起こっている勃起のことです。あまり知られていないのですが、男性は寝ている間のかなりの時間帯に、じつは勃起しています。これを「夜間睡眠時勃起現象（ＮＰＴ）」といいます。

ＮＰＴが起きている時間は若いときほど長く、二十代では全睡眠時間の約半分、それが四十代になると四分の一に、五十代では五分の一程度にまで短縮されます。

人間の睡眠は、体を休める「レム睡眠」と、脳を休める「ノンレム睡眠」が交互に繰り返されますが、ＮＰＴは、レム睡眠時に起こります。そして、最後のレム睡眠のときに起きたＮＰＴが、目覚めたときに認知される、いわゆる「朝立ち」なのです。

このＮＰＴは、テストステロンの低下に伴い時間が短くなっていくので、目覚まし時計を使わずに自然と朝目覚めたときに、朝立ちが起きていなければ、更年期障害になっている危険性があるといえます。

ここでなぜ、「目覚まし時計を使わずに」と限定したのかというと、自然に目覚めるときは、必ずレム睡眠のときに目覚めますが、目覚まし時計を使うと、ノンレム睡眠の最中に強制的に目覚めさせられることもあるからです。ノンレム睡眠ではＮＰＴは沈静化してしまうので、正確な判断はできません。

調べるときには、必ず目覚ましを使わずに起きたときの状態を目安にしてください。男性更年期障害になると、たんにメタボになるだけではなく、仕事に対するやる気が失われたり、異性に対する興味や性欲そのものも低下したりしていきます。最近は、若い人にもＥＤ（勃起不全）によって満足のいく性交が行えなくなっている人が増加していますが、これもストレスによるテストステロンの急激な低下が大きく影響していると考えられます。

男性の朝立ちは、女性の生理と同じくらい重要なものです。

もし、調べてみて、男性更年期障害の兆候がある場合でも、悲観する必要はありません。なぜなら、体温を恒常的に上げるための努力をしていく過程で、男性更年期障害も改善させることができるからです。

体温が上がるだけで内臓脂肪の解消に絶大な効果がある

メタボリック・シンドロームの解決策は、アディポサイトカインを生産する内臓脂肪をなくすことです。

そのこと自体は正解なのですが、現在推奨されている方法が食事制限と運動療法だけというのは、私にはあまり効率的な方法だとは思えません。なぜなら、メタボリック・シンドロームの重要なリスクファクターである、男性更年期障害に対する対処が含まれていないからです。

私にいわせれば、同じ食べすぎと運動不足でも、テストステロンが充分に出ていれば内臓脂肪はつきにくいのですから、真っ先に改善すべきは男性更年期障害です。

では、どうすればテストステロンの分泌を正常にすることができるのでしょう。

それをお話しするにあたって、まず副腎という臓器の説明から始めたいと思います。

「副腎なんて臓器、聞いたことがない」というように、多くの方にとっては耳慣れない言葉かもしれません。

でも、副腎というのは、じつはとても大事な機能を体の中で果たしているのです。副腎は、左右の腎臓の上に位置する、重さ五～六グラム程度の小さな臓器で、約九〇％の「皮質」が一〇％の「髄質」を包み込んだ構造をしています。そんな副腎のおもな働きは、脳からの指令に応じてさまざまなホルモンを生産・分泌することです。

その副腎の機能が低下してきたことが、私たちの健康に大きな影響をもたらすようになったといわれています。

最近、全米でベストセラーとなった『Adrenal Fatigue（アドリーナル・ファティーグ）』（James L.Wilson 著／Smart Publications）という本があります。タイトルの「アドリーナル・ファティーグ」は、まさに「副腎疲労」という意味で、現代人の副腎が疲労していることに対し、警鐘を鳴らしたのです。

副腎皮質でつくられるホルモンの一つに、ＤＨＥＡ（デヒドロエピアンドロステロン）と呼ばれる性ホルモンがあります。

じつをいうとこのホルモンは、アンチエイジングの学会では「長寿のマーカー」として注目を浴びているものなのです。なぜなら、ＤＨＥＡの多い人ほど長生きすることがわかってきているからです。

二〇〇八年に、七十五歳にして二度目のエベレスト登頂に成功した登山家でありプロスキーヤーである三浦雄一郎さんの父親・三浦敬三氏は、かつて百歳の現役スキーヤーとして話題を呼びました。その三浦敬三氏は、二〇〇六年一月に百一歳で天寿をまっとうされましたが、生前に検査したところ、彼のＤＨＥＡの値はとても高いものだったそうです。

三浦敬三氏にかぎらず、百歳以上の健康な方の血液を検査すると、皆さん共通してＤＨＥＡの値がとても高いのです。

アドリーナル・ファティーグ（副腎疲労）になると、副腎の機能が低下するので、このＤＨＥＡの生産量も低下します。すると、原料が不足することになるので、男性の場合は男性ホルモンであるテストステロンの生産量も低下することになります。

じつはこれこそが、男性更年期障害のメカニズムなのです。

つまり、「ストレス　↓　副腎機能低下（アドリーナル・ファティーグ）　↓　ＤＨＥＡ減少　↓　テストステロン（男性ホルモン）減少　↓　男性更年期障害（ＰＡＤＡＭ）」というわけです。

このメカニズムがわかれば、いったいどうすれば男性更年期障害を改善できるのか、もうおわかりだと思います。

そうです。これまで繰り返しいってきたように、生活習慣の改善とライフスタイルの見直し、それとともに、体温を恒常的にアップさせることをすればいいのです。

この場合、体温を上げるメリットは免疫力を高めることだけではありません。なぜなら体温が恒常的にアップするということは、体温をつくりだすためにより多くのエネルギーを消費する体になるということなので、**内臓脂肪の解消にも絶大な効果をもたらす**からです。

私たちが一日で消費するエネルギーの大半は、基礎代謝といって生命活動を維持するために必要なエネルギー量で占められています。体温が上がるということは、この基礎代謝のエネルギー量がアップすることなので、**極端なことをいえば、体温が上がると、ただ寝ているだけでも多くのエネルギーを消費する体になるのです。**

一日一回、体温を一度上げなさい

では、どうすれば体温を高くすることができるのでしょうか。

その答えを私はこの本を通じて、お話ししたいと思っています。

そもそも、平熱が三五度台の人が体温を上げていくことができるのか。そのように、疑問をもたれる方もたくさんいらっしゃることでしょう。

それはできます。体温を上げていくことは可能です。低体温の人でも、体温を上げていくことで健康な人生を手に入れることができるのです。私はこれを「体温アップ健康法」と名づけています。

「体温アップ健康法」は大きく分けて、二つあります。

一つは、**一日一回、体温を一度上げる生活を送ること**です。つまり、体を意図的に温めることを実践するのです。

たとえば、朝起きてウォーキングをする、白湯(さゆ)を飲む、お風呂に入るなどです。

なかでも毎晩のお風呂の習慣は重要です。湯船に浸かるという習慣は、外国ではあまり例を見ないのですが、体温を上げるという観点から見ると、これ以上有効な手段はないくらい、すばらしい習慣です。

一日一回、体温を一度上げることで得られる恩恵は、一日一回、免疫力が活性化することです。

ただ、もっと望ましいのは、もう一つの方法、つまり、一日一回、体温を一時的に上げるだけでなく、**平熱が徐々に上がっていくような生活を送ること**です。

そんなことが本当に可能なら、いったいどうすればよいのでしょう。

これについては次章以降、詳しくお話ししますが、結論を先にいいます。

それは、すでにお話ししたとおり筋肉を鍛えることです。筋肉を鍛えていくことで体温が恒常的に上がっていく仕組みが、近年わかってきました。

もちろん、ただやみくもに筋肉を増やしていくようなトレーニングを勧めているわけではありません。上質な筋肉をつくっていくには、ちゃんとそのための方法があるのです。

けっしてむずかしいものではありませんので、心配しないでください。ふだんの生活をしながら、着実に筋肉を鍛えていける方法を学んでいただければと思います。

低体温は病気の元凶、高体温は健康の源

体温が一度上がると、免疫力は五〇〇〜六〇〇%上昇すると、この章のはじめに申し上げました。

でも、体温上昇のメリットはそれだけではありません。

体温が一度上昇すると、体の中のさまざまな場所で、劇的な変化が生じます。

まず、体温が上がると血行がよくなります。

血行がよくなるということは、血液がスムーズに流れるということなので、結果的に血流量が増えることになります。

血流量が増えると、体を構成する細胞に充分な酸素と栄養が供給されるので、同じ運動量でも筋肉の修復がスムーズに行われ、筋肉が増えやすくなります。

さらに、筋肉の場合と同じ理由で骨も丈夫になります。つまり、体温が一度上がると、それだけで骨粗鬆症（こつそしょうしょう）の予防になるということです。

また、血流量が増えると、胃や腸など消化器系の臓器にもよい影響が出ます。具体

的にいうと、胃腸が内容物を先に送るための蠕動運動が活発になるのです。

蠕動運動が活発になると、腸の中で発生する硫化水素や活性酸素といった毒素が素早く排泄されるので、便秘の解消や大腸ガンの予防につながります。

体温が上がると、体だけでなく同時に脳の血行もよくなるので、脳の活性化が進みます。とくに、「海馬」という記憶能力に関わる場所の血行がよくなると、記憶力低下や痴呆症の防止に効果があります。

そして、体温が上がると、血行がよくなるだけでなく、酵素が活性化するので、その恩恵にもあずかることになります。

体内の酵素が活性化すると、たとえば糖尿病の人ならインシュリンの作用がよくなったり、新陳代謝が活発になるので、細胞が若返ります。新陳代謝が活発になると、見た目では肌が美しくなりますが、それは同時に体の中の細胞も若く美しく変化しているということなので、体全体にメリットがあるのです。

もちろん、こうした恩恵は、体温が一瞬上がったというだけでは得られません。恒常的に体温が一度上昇した場合に得られるものだと考えてください。

そして、体温が恒常的に上がると、自律神経の乱れそのものが改善されていくので、その情報が体温中枢のある脳の視床下部に行き、視床下部の負担が軽減されることによって、同じ視床下部から分泌される生殖腺刺激ホルモン放出ホルモンが整い、男性更年期障害にもよい影響が現れます。

体温がたった一度上がるだけで、これほど多くの、いえ、本当はもっと多くの恩恵が体にはもたらされるのです。

低体温が病気の元凶であるのとはちょうど逆に、高体温は健康の源だということを、心に銘記してください。

第2章

これが「体温アップ健康法」だ

体温が上がれば、すべてがうまくいく

細胞のダメージを回復させたくても体の機能が低下して回復させられない。そんな低体温がもたらす「負のスパイラル」から抜け出す最善の方法は、体温を上げることです。

体温を恒常的に上げることには、絶大な健康効果があります。

次章で詳しくお話ししますが、低体温はストレスがもたらした結果でもあります。その結果を意識的に変えることで、体の機能を回復させ、ストレスに対する抵抗力をつけることができるのです。

では、なぜ体温を上げるだけで、健康を手に入れることができるのでしょう。

体温が高くなったとき、最初に変化するのは血流です。

低体温が血流を悪くさせるのとは逆の理由で、体温が上昇するとそれだけでも血流はよくなります。血流がよくなると、ストレスによってダメージを受けていた細胞に糖（グルコース）というエネルギー源が供給されます。それと同時に、体温アップに

よって酵素活性も上がるので、エネルギーを効率よくつくりだすことができるようになります。

こうして細胞がストレスから回復すると、その情報が脳に行き、脳の視床下部から下垂体（かすいたい）へ、そして自律神経、ホルモンへと伝達されていきます。こうしてよい情報が伝達されていくことによって、体全体の機能も正常に整っていくのです。

つまり、「負のスパイラル」が、体温を上げることによって、「正のスパイラル」へと転換されるということです。

お風呂や温泉、サウナなどで体を芯から温めると、体中の疲れがとれたように感じますが、それは細胞のストレス状態が回復するからなのです。

でも、そのよい状態はあまり長くは続きません。体が冷えると、またもとの低体温状態に戻ってしまうからです。

ですから、体をつねにベストの健康状態にするためには、外から温めるだけでなく、つねに体温の高い状態をキープできる体づくりをすることが必要です。

そこでこの章では、誰もができる「恒常的に体温の高い体をつくる方法」をご紹介していきたいと思います。

私たちの日々の生活からストレスをなくすことはかんたんではありません。でも、高体温の体を維持することは、日々のちょっとした努力の積み重ねで誰もができることです。ぜひ今日から、体温を上げる習慣を生活の中に取り入れていただきたいと思います。

なぜ五十代を過ぎると病気になりやすくなるのか

低体温は、あらゆる人にとってよくありません。なかでも、とくにリスクが高くなるので気をつけていただきたいのが、五十代以上の人の低体温です。

同じ低体温でも、二十代では深刻な病気になる人はそれほど多くありませんが、五十代になると病気を発症してしまう人が急増します。

脳の血流障害が原因で起こるパーキンソン病も、発症する人のほとんどが五十〜六十代です。

パーキンソン病にかぎらず、**多くの病気が五十代を境に発症率が急増します。**

なぜ五十代を過ぎると病気になりやすくなるのでしょう。

それは、五十代を過ぎると、ほとんどの人に加齢による動脈硬化が起こってくるからです。

動脈硬化とは、読んで字のごとく動脈の血管壁が硬くなることです。しかし、たんに硬くなるというだけではありません。血管の内側に悪玉コレステロールがこびりついて「プラーク」と呼ばれる脂肪の塊ができ、血の流れが悪くなるとともに血液が詰まりやすくなってしまうのです。

加齢によって、こうした動脈硬化がひどくなっていくのが、だいたい五十代前後。ですから五十代の人は、年齢的な問題でどうしても動脈硬化が起きてしまうので、たとえ体温が高い人であっても、その人が若かったときよりは血流が悪くなっていると考えなければなりません。

ただでさえそうした年齢によるリスクがあるのですから、そこに低体温が加わると、発病のリスクは跳ね上がります。

想像してみてください。動脈硬化によって硬く狭くなった血管の中を、低体温によ

ってドロドロになった血液が流れることになるのです。しかもその低体温が交感神経の過緊張によるものであれば、血管は収縮するのでさらに細くなります。こうなると、脳梗塞、心筋梗塞、狭心症など深刻な病気を招くことにもなりかねません。

こうした怖い動脈硬化も、これから申し上げる四つの危険要因に気をつければ、かなりの年齢まで防ぐことができます。

事実、私の患者さんの一人であるオノ・ヨーコさんは、この四つのリスクファクターに抵触しない生活を実践されているので、血管は見るからにプリンプリン、七十六歳のいまも血管年齢は四十代の若さを誇っています。

動脈硬化を招く危険要因は、アンチエイジングの世界では昔からよく知られているものなのですが、リスクの高い順にいうと、「高血圧」「喫煙」「糖尿病」「高コレステロール」の四つです。

ここで注目してほしいのは二番目の「喫煙」です。

そのほかの三つは、健康診断で要注意といわれると、多くの人が食生活を見直したり、薬を服用したりすることでコントロールしようと努力されるのですが、リスクが二番目に高いにもかかわらず、喫煙をやめる方は実際には多くありません。そのため、いくら血糖やコレステロールをコントロールしても、タバコを吸いつづけていたのでは効果はありません。喫煙しているかぎり、動脈硬化はどんどん進んでいきます。

五十歳以降も健康でいるためには、まずは動脈硬化を招く四つの危険要因をすべて取り除くことです。そのうえで体温を恒常的に上げる努力を続けていけば、血流が改善されるので、硬くなった血管細胞のダメージも徐々に回復し、動脈硬化は改善されていきます。動脈硬化が改善されれば、それだけ病気を発症しにくくなるのです。

筋肉量を増やせば、体温は自然と上がる

体温を恒常的に上げるもっともよい方法は、基礎代謝を上げることです。

基礎代謝というのは、何もせずにじっとしていても、体が消費するエネルギーのことです。

私たちの体は、生命を維持するだけでかなりのエネルギーを消費しています。

成人が一日に必要とするエネルギー量は、男性で二〇〇〇～二二〇〇キロカロリー、

女性で一八〇〇～二〇〇〇キロカロリー程度といわれています（もちろんこれは年齢や体重、運動量によっても変化するのであくまでも目安です）が、この、一日に必要とするエネルギー量の約六〇～七〇%は、じつは基礎代謝なのです。

つまり、私たちの体は、エネルギーの大半を基礎代謝として消費しているということです。

世の中には、たくさん食べているのになぜか太らない人と、反対にたいして食べていないのにすぐに太ってしまう人がいます。こうした違いは、よく「生まれながらの体質の違い」だといわれますが、それは違います。

食べても太らない人は、もともと食べても太らない体質なのではなく、「基礎代謝が大きい」という体質を後天的に獲得してきた人なのです。基礎代謝が大きいと、何もしなくてもより多くのエネルギーを消費するので、同じカロリーを摂取しても太りにくくなるというわけです。

体温と基礎代謝は正比例の関係にあります。これは基礎代謝の多くが体温維持に使われているからです。同じ年ごろ、同じ体型、同じ環境では、体温の高い人のほうが基礎代謝は多く、体温が低い人ほど基礎代謝は少なくなります。

では、どのくらい違うのかというと、なんと体温が一度低下しただけで、基礎代謝は約一二%も低下してしまうのです。

たとえば、一日二〇〇〇キロカロリーのエネルギーを消費している人だと、基礎代謝はその約七割で一四〇〇キロカロリー。その一二%ということは、一六八キロカロリー。三十分間ウォーキングしたときの消費カロリーは個人差がありますが、だいたい約一〇〇キロカロリー程度なので、**体温が一度高くなると、寝ていても毎日三十分間ウォーキングする以上のカロリーを消費する体になる**ということです。

さて、ここからが本題です。

では、どうすれば基礎代謝を上げることができるのでしょう。

ヒントは、基礎代謝は同じ体重の場合でも女性より男性のほうが多いということにあります。

じつはこの差は、男女の筋肉量の差です。男性は女性より筋肉の量が多いため、自然と基礎代謝も多くなるのです。

筋肉量と基礎代謝量は、体温と基礎代謝量と同じく正比例の関係にあります。なぜなら、私たちの体の中で「熱(=体温)」をもっとも多くつくりだしているのが筋肉だからです。

つまり、ごくかんたんにいえば、**筋肉を増やせば基礎代謝は自然と上がり、基礎代謝が上がれば体温も自然と上がる**ということです。

筋肉が減り、脂肪が増える「間違いだらけのダイエット」

「筋肉を増やしましょう」というと、女性の中には抵抗を感じる方もいるかもしれません。でも、筋肉が増えると、女性にとってとてもいいことがたくさんあります。

まず、低体温が解消されるので、病気になりにくくなると同時に、ストレスにも強くなります。そして、全身の血行がよくなるので、細胞の一つひとつが元気になります。女性にとってこの効果が実感されるのは、何といっても肌が美しくなることだと思います。

でも、何よりも、筋肉を増やす最大のメリットは、基礎代謝が上がることにより、

食べても太りにくい体になることでしょう。

女性にとってダイエットは永遠のテーマです。苦労して食事制限をしてやせたけれど、ダイエットをやめたらすぐにリバウンドしてしまった。そんな経験をしたことのある人は多いと思います。

ダイエットしてもリバウンドしてしまうのは、そのダイエット法に大きな間違いがあるからです。

ダイエットの正しい知識として、まず知っていただきたいのは、食事制限（カロリーリストラクション）をしても、よほど頑張らないかぎり内臓脂肪は減らないということです。

食事制限をしたとき、真っ先に減るのはじつは脂肪ではなく、筋肉と水分なのです。ですから、食事制限をして一、二キロやせたからといって喜んではいけません。それは脂肪ではなく、筋肉と水分が減っているのです。

もちろんダイエットをする場合、ある程度のカロリー制限は必要です。でもそれは、あくまでも過剰なカロリー摂取を控えることが必要なのであって、最低限必要な栄養とカロリーは摂取しなければなりません。そうしないと、脂肪ではなく筋肉が落ちてしまうので、かえってやせにくい脂肪だらけの体をつくることになってしまいます。

カロリーを抑えるダイエットでもっとも怖いのは、やせるときは筋肉が落ち、リバウンドするときは、その分が「脂肪」として増えてしまうということです。

たとえば、カロリー制限で体重を三キロ落とし、その後リバウンドで三キロ体重が増えたとしましょう。そんなとき、多くの人は「もとに戻ってしまった」といいますが、それは違います。体の中では、劇的な変化が起きています。

なぜなら、最初に減った三キロは筋肉ですが、リバウンドで増えた三キロは脂肪だからです。

これはとても大きな違いです。

筋肉という基礎代謝を上げるのにもっとも貢献する部分が、そっくり脂肪に置き換わるということは、体重は同じなのに基礎代謝が低下したということにほかなりません。それに、筋肉と脂肪では脂肪のほうが軽いので、体重では同じ三キロでもサイズは太くなってしまいます。

体重はもとに戻っただけなのに、どうも服のサイズが合わない、そう感じたらそれは筋肉が脂肪に変化した証拠です。

さらに、筋肉が減るということは、熱を産生する器官がそれだけ少なくなるということですから、低体温になりやすくなります。そして低体温になると、体の機能が低下するので、やせにくく太りやすい体になってしまいます。

リバウンドを繰り返すと、どんどんやせにくくなっていきますが、それは、どんどん筋肉が減っていくからなのです。

見た目はスレンダーな女性でも、ＣＴスキャンで体の中を見ると内臓脂肪がとても多い「隠れ肥満」と呼ばれる体になっている人がいますが、こういう人のほとんどが、過度なカロリー制限によるダイエットとリバウンドを繰り返してきた人です。そして、こうした人の多くは低体温です。

ですから、食事をこれに置き換えるだけという、低カロリーダイエット食品が巷(ちまた)で売られていますが、やせたあとの体のことを考えると私はお勧めできません。

過剰なカロリー摂取さえ抑えれば、本来ダイエットには、それ以上のカロリー制限は必要ありません。そんなことをしなくても、筋肉を鍛え、基礎代謝を上げていけば、体は自然とやせていくのですから。

筋肉は使わないとどんどん減っていく

「老」という漢字は、もともと腰が曲がり、顎（あご）を突き出した老人の姿をかたどったものだといいます。

年をとったときに腰が曲がったり猫背になったりするのは、骨が変形するからではありません。姿勢を保つのに必要な筋肉が失われるからなのです。その証拠に、腰が曲がった老人も、ふとんに横たわると、体は真っ直ぐになります。もし骨が変形しているのなら、横になっても腰が曲がってしまうはずです。

私たちの体の筋肉は、基本的には二十歳をピークに、年々減少していきます。

二十代の中肉中背の男子で体の中に占める筋肉量の割合は四〇％、女性では三五％ほどです。それが七十代になると、ピーク時の三分の二程度、つまり約二六％～二三％にまで減少します。

筋肉の減少量を平均すると、だいたい年一％ずつ筋肉は減少していくことがわかります。こうした筋肉の減少率は、男性も女性もほぼ同じです。

ただし、これはごく普通の日常生活を送っていた人の場合です。

よく、年をとって転んで骨を折ったのを境に歩けなくなってしまったという話を聞きますが、これは筋肉が急激に失われてしまった結果です。

筋肉というのは、動かさないと驚くほど速いスピードで失われてしまいます。

たとえば、寝たきり老人のように一日中、それこそトイレもベッドの上で済ませるような生活をしたとしましょう。いったい筋肉はどのくらい失われると思いますか？

なんと、一日で約〇・五％もの筋肉が失われてしまうのです。

通常の生活をした場合の加齢による筋肉の減少率が年間一％ですから、**寝たきり生活をすると、たった二日間で一年分の筋肉を失ってしまうということです。**

皆さんも風邪などで一週間近く寝込んだあと、体がふらふらするのを体験したことがあると思います。あれは、風邪によって体力が消耗したということもあるのですが、筋肉が短期間で急激に失われてしまったため、体を支える力が低下してしまった結果でもあるのです。

筋肉を維持するためには、毎日の生活の中で、筋肉に適度な負荷をかけつづけることが必要です。

じつは、こうした筋肉の研究が進んだのは、人間が宇宙に行くようになったことが一つのきっかけでした。たった数日でも、宇宙に飛び立った飛行士は、地球に帰還したとき、筋肉が衰えてしまい、歩くことができなくなってしまっていたからです。

宇宙空間は無重力なので、宇宙飛行士の体にはほとんど負荷がかかりません。そのため体を動かしていても、相当量の筋肉が失われてしまうのです。

ですから、いまでは筋肉の萎縮を防ぐために、出発前に筋肉を増やすトレーニングを行うとともに、宇宙空間でもランニングマシンや自転車こぎのような、マシンを使って筋肉に負荷をかけるようなトレーニングを行うことがプログラムで決められています。

また、最近は、手術などで入院した患者さんにも、できるだけ早くから病院内を歩くよう指導がなされています。これも、入院中はどうしてもベッドの上で過ごすことが多くなるため、筋肉が衰えるのを防ぐ目的で行われているのです。

病院内を少し歩くぐらいで筋肉の減少を防ぐことができるのか、と思うかもしれませんが、人間の筋肉の七割はおへそから下にあるので、「歩く」ということは、私たちが思っている以上に効率よく筋肉を鍛えることにつながっているのです。

有酸素運動は脂肪を減らし、無酸素運動は筋肉を鍛える

運動には、大きく分けて「有酸素運動」と「無酸素運動」の二つがあります。

有酸素運動というのは、ジョギングやウォーキング、エアロビクスなど、比較的低い負荷で長時間続けられる運動です。また、無酸素運動というのは、ウエイトリフティングや短距離走など、息を止めて短時間に強い力を発揮する運動です。

最近は、メタボ検診が行われるようになったこともあり、ダイエットを目的にスポーツクラブに通う中高年の男性が増えていますが、そうしたときにインストラクターから勧められるのは有酸素運動です。

なぜダイエットでは有酸素運動が勧められるのでしょうか。

それは、有酸素運動では、運動のエネルギー源として「糖」と「脂肪」の両方が消費されるからです。

これに対し、無酸素運動のエネルギー源は糖だけで脂肪は使われません。ですから、

無酸素運動をいくら頑張ってトレーニングしても、体脂肪の減少にはつながらないのです。

こうした運動特性の違いは、アスリートの体型に如実に表れています。

たとえば、**同じように「走る」運動でも、マラソン選手と一〇〇メートル走の選手では、体つきがまったく違います。**マラソン選手は皆、針のように細い体型をしていますが、一〇〇メートル走の選手は筋肉の発達した厚みのある体型をしています。

彼らの体型が違ったものになる理由は二つあります。一つは運動に使われるエネルギー源の違い、もう一つは鍛えられる筋肉の違いです。

マラソンは有酸素運動なので、脂肪が燃焼されます。その結果、体脂肪の極端に少ない体型になってしまいます。女性のマラソン選手は皆、バストやおしりの脂肪までなくなってしまいますが、それはハードなトレーニングで女性特有の脂肪までもが使われてしまうからなのです。

一方、一〇〇メートル走のように、呼吸をせず短時間にフルパワーを発揮する無酸素運動では、脂肪は消費されないので、女性選手のバストやおしりの脂肪は失われません。

そんな一〇〇メートル選手の体型で目立つのは、何といっても発達した筋肉です。昨年（二〇〇八年）の北京オリンピックで九秒六九という驚異的な世界記録を出したウサイン・ボルト選手など、ボディービルダーと見間違うほど発達した筋肉の持ち主です。

それに対してマラソン選手は、高橋尚子選手にしても野口みずき選手にしても、皆スレンダーで筋肉質というイメージはあまり強くありません。でも、そんな彼女らも、実際にはとても発達した筋肉をもっています。

ただ、ボルト選手の筋肉と野口選手の筋肉では、筋肉の種類が違うのです。

筋肉には二つの種類があります。一つは強い瞬発力を発揮することができる「速筋（白筋／ファーストユニット）」と、力は強くないが長い時間にわたって力を持続することのできる「遅筋（赤筋／スローユニット）」の二つです。

速筋は筋繊維が太いので、鍛えると太く大きく発達していきます。無酸素運動で鍛えられるのはこの筋肉なので、一〇〇メートル走のランナーは皆、ムキムキの見るからに筋肉質な体型になっていくのです。

一方、マラソンのような有酸素運動で鍛えられるのは、筋繊維の非常に細い遅筋です。遅筋は鍛えても筋繊維があまり太くならないので、一見すると筋肉質とは思えないスレンダーな体型になります。

女性は筋肉を鍛えると、グラマラスな女性らしい体型が失われ、ムキムキの体になってしまうのではないかと心配する人が多いのですが、必ずしもそうなるわけではありません。どんな体型になるかは、どんな筋肉を鍛えるかで違ってくるのです。

ダイエット効果が四倍になる成長ホルモン活用法

内臓脂肪は、たんにスタイルを悪くするだけのものではありません。アディポサイトカインという、体にさまざまな悪影響を及ぼす悪玉ホルモンをつくりだすものであることはすでにお話ししたとおりです。

そんな内臓脂肪を落とすには、脂肪を消費する有酸素運動を定期的に継続して行うことが必要です。

だからこそダイエットを目指す人たちは有酸素運動を行うのですが、有酸素運動だけではなかなか結果が出ないと感じている人が多いのも事実だと思います。

先ほど、私たちが一日に消費しているエネルギーの約七〇％は基礎代謝だとお話ししました。ということは、運動で消費されるのは、多く見積もっても全体の三〇％だということです。じつはここに、運動だけではなかなかやせない理由があるのです。

皆さんは運動によって消費されるエネルギーがどのくらいかご存じでしょうか。三十分間ウォーキングをした場合の消費エネルギーは約一四〇キロカロリーと先に述べましたが、これをジョギングに変えても——スピードにもよりますが——消費エネルギーは一六〇キロカロリー程度にしかなりません。

しかも、この一四〇キロカロリーが、すべて脂肪の燃焼につながるわけではありません。

有酸素運動をした場合、糖と脂肪の消費される割合は一対一なので、脂肪が燃焼されるのは一四〇カロリーの半分、七〇キロカロリーだけです。

七〇キロカロリーとは、脂肪の量にするとどのくらいかというと、脂肪は一グラム約九キロカロリーなので、わずか八グラムです。

さらに、その脂肪もすぐに燃焼されるわけではありません。有酸素運動で脂肪が燃焼するには時間がかかります。なぜなら、脂肪は脂肪酸とグリセロールに分解されてからでないと燃焼されないからです。

よく有酸素運動は、三十分以上継続して行わないと脂肪燃焼効果がないといわれますが、それは、この「分解」が行われるまでに時間がかかってしまうからなのです。

ところが、この分解を速める秘策が一つだけあります。

それは、「成長ホルモン」を出すことです。

成長ホルモンとは、脳の下垂体から分泌される人間の成長を促すホルモンです。おもな働きは骨や筋肉の成長を促すことですが、このホルモンの働きはそれだけにはとどまりません。**じつはこのホルモンは、脂肪を分解する働きももっているのです。**

体を成長させるのに必要不可欠な成長ホルモンは、子どものころはさかんに分泌されますが、体の成長が終わる二十歳ごろを境に減少していきます。成長ホルモンの分泌がもっとも多い十代のころと比べると、五十代の分泌量は五分の一以下にまで低下してしまいます。

年をとるとやせにくくなるのは、この成長ホルモンの減少が関係していたのです。

年齢とともに分泌が低下するといっても、あきらめる必要はありません。

なぜなら、もちろん老化を完全に食い止めることができるわけではありませんが、努力によっては、成長ホルモンの分泌量を増やすことができるからです。

では、どうすれば成長ホルモンが出るのでしょう。

じつはその答えが、「無酸素運動」なのです。

無酸素運動だけでは脂肪は消費されません。

消費されないのですが、無酸素運動をすると、成長ホルモンが分泌されるので脂肪の分解が進みます。しかも、無酸素運動によって一度成長ホルモンが出ると、その分解効果は六時間も持続するのです。

そのため、先に筋トレのような無酸素運動を行ってから、有酸素運動を行うと、無酸素運動を行った段階で脂肪の分解が進むので、有酸素運動を始めてすぐに脂肪の燃焼が始まり、有酸素運動による脂肪の燃焼効率が飛躍的に高まります。

有酸素運動だけでは十五〜二十五分ぐらい運動しつづけないと脂肪燃焼が始まらないのが、事前に無酸素運動を行うと、有酸素運動を始めてからわずか五分〜十分程度で脂肪燃焼の段階に入ることができるということです。

では、有酸素運動だけを行った場合と、無酸素運動を行ってから有酸素運動を行った場合では、結果にどれくらいの違いが出るのでしょうか。

先に引用した、三十分間のジョギングを例に考えてみましょう。

三十分間ジョギングをした場合、消費される脂肪の量は約八グラムでした。

この運動を三日に一度、一年間続けると、約一キログラムの内臓脂肪を消費することができます。

これに対し、**無酸素運動を有酸素運動の前に行った場合は、有酸素運動の時間と回数は同じでも、一年間でなんと約三・五倍、三・五キログラムもの脂肪が消費されるのです。**

これほどの違いが出るのは、筋トレのような無酸素運動を行うと、三か月目ごろからは、脂肪燃焼効率がよくなるのに加え、基礎代謝も上がってくるからです。

有酸素運動の前に、ちょっとした筋トレをやるかやらないかで、ダイエット効果に三・五倍もの違いが出るのです。私はこの「有酸素運動の前に無酸素運動を行うトレーニング法」を成長ホルモン活用法と呼んでいます。

筋トレをやらずに有酸素運動をするのはもったいないと思いませんか？

「冷え性」を治したければ、筋肉を鍛えなさい

低体温とは少し違うのですが、多くの女性が苦しんでいる「冷え性」も、筋肉を鍛えることで治すことができます。

低体温は、体温そのものが三六度以下に低くなっている状態をいいます。

これに対して冷え性というのは、体の中心部の体温はそれほど低くないのに、手先や足先といった体の末端の血行が悪く、異様なほど冷たくなってしまうという病態のことです。

低体温は、実際には男女の区別なく起こりますが、冷え性で苦しむのは、ほとんどが女性です。

では、なぜ女性ばかりが冷え性になるのでしょう。

原因はいくつか考えられますが、その中でも大きな要因となっているのは、低血圧と運動不足です。

まず血圧が低いと、体のすみずみまで血液を行き渡らせることができなくなるので、

どうしても末端の血行が悪くなります。

また、女性はただでさえ筋肉量が男性より少ないので、運動が不足すると筋肉の絶対量が足りなくなり、末端から血液を体の中心部へ送り返す力が弱くなってしまうのです。

こうした二つの要因によって、女性は、手足の血行だけが極端に悪くなる「冷え性」になってしまうのです。

冷え性を改善するもっともよい方法は、血行が悪くなり冷えやすい下半身の筋肉を鍛えることです。とくに足の筋肉は、「第二の心臓」と呼ばれるほど、血液の循環に大きな役割を果たしています。

でも、足の筋肉を鍛えるメリットは、たんに血行がよくなるだけではありません。筋肉が増えると、筋肉自体が熱をつくりだすので、血行改善と合わせて二重の効果で冷え性が改善されるのです。

足の筋肉を鍛える基本は、やはり歩くことですが、ふくらはぎに太もも、そして腰の筋肉を一度に鍛えることができるスクワットもお勧めの運動です。

この場合も、先に息を止めて無酸素運動としてスクワットを行ってから、呼吸を整え、有酸素運動としてスクワットを行うと、下半身の余分な脂肪が落ちるとともに、必要な筋肉がつくので、引き締まった美しい下半身をつくりながら、冷え性を改善することができます。

ただ、冷え性の人が運動をする場合は、事前に必ず充分なストレッチを行ってください。筋肉が冷えて硬くなった状態のまま急に動かすと、かえって筋肉を痛めることにもなりかねません。そういう意味では、お風呂で体を温めてから運動するのも、よい方法です。

「冷え」はどんなものであれ、それだけで体にとっては大きなストレスです。

そのため冷え性を放っておくと、そのストレスによって自律神経のバランスを崩し、体全体が冷える「低体温」へと病態が進行してしまうこともありえます。ですから、脇の下で測った平熱が三六・五度以上ある人でも、末端に冷えがある人は、低体温の予備軍ということができます。

冷え性を低体温に進行させないためにも、筋肉トレーニングを日々の生活に取り入れ、全身の体温を高い状態に保つようにしていただきたいと思います。

筋肉の量を増やすより、筋肉の質を高めよ

体温を上げるためには、筋肉を鍛えることが必要だということ、そして、筋肉を鍛えるためには、無酸素運動が有効だということは、おわかりいただけたと思います。

では、体温を上げるためには、どの程度の無酸素運動をすればいいのでしょう。

「腹筋三〇回、腕立て伏せ三〇回、スクワット五〇回、これを三セットずつ——」というような具体的な回数を知りたいと思っていた方には期待を裏切ることになりますが、じつは筋肉を鍛えるうえでもっとも大切なのは回数や負荷ではないのです。

筋肉を鍛えるうえでもっとも大切なのは、「脳から筋肉への神経の経路を鍛える」ことです。

たしかに回数を増やしたり、徐々に負荷を増やしたりしていけば、筋肉は太く発達していきます。でもそれは、いわば「見せかけだけの筋肉」にすぎません。本当の意味でパフォーマンスを発揮できる筋肉を身につけるためには、脳から筋肉への神経の経路を鍛えることがとても重要なのです。

脳から筋肉への神経の経路を鍛える。それは脳が指令を出してから筋肉が反応するまでの速度を上げるトレーニングをするということです。

具体的にいえば、負荷は軽くていいので、自分の筋肉が発揮できる最大のスピードで筋肉を動かすということです。

たとえば、ベンチプレスなら負荷は三〇~四〇キロ程度（これは自分がラクに上げられる重さでいいので、もっと軽くてもかまいません）でいいので、とにかくそれを最大限のスピードでプッシュアップするのです。

このトレーニングはマシンがなくてもできます。

距離は一〇メートルでも二〇メートルでも、短くていいので、とにかくゴールまで一秒でも早く到達するように全力でダッシュする。これでも神経経路は充分鍛えられます。

回数は一回でもかまいません。二回、三回と回数を重ねれば、それだけ効果も高まりますが、回数を行うことによってスピードが落ちるくらいなら、回数は少なくてもいいので、とにかくいまの筋肉がもてる最大限の能力を引き出すことを心がけてください。このトレーニングでもっとも重要なのは、回数でも負荷でもなく「クオリティ」

です。

たんに筋肉を鍛えるだけでなく、ダイエットも行いたい人は、このように全速力で二〇メートル走ってから、三十分間のウォーキングなり、ジョギングなりをすると、最小限の運動で、最大の結果を得ることができます。

アメリカンフットボールを見ていると、ランニングバックの選手は、ボールをもった状態で、全速力で走りながら、さらにタックルをかわすために〝直角〟で曲がるという神業を見せますが、こうしたことができるのも、神経経路を鍛えるトレーニングを積んだ結果です。

アメリカのプロスポーツ選手が皆すばらしい身体能力を発揮できるのは、じつはこうしたトレーニング法が日常のトレーニングに組み込まれているからなのです。

でも残念なことに、日本では一般の人の筋肉トレーニングはもちろん、プロに対する指導でもこうしたトレーニング法は行われていません。

その結果が如実に表れたのが、私はバリー・ボンズ選手と清原和博選手の違いだと思っています。

私は清原選手が好きなのですが、清原選手の筋肉は、見た目だけはバリー・ボンズ選手に引けをとらないほど立派です。でも、そのパフォーマンスとなると、残念ながらボンズ選手には遠く及ばないといわざるを得ません。

清原選手は、体重九〇キロのとき、ベンチプレスの最高重量が一四〇キロだったといいます。たしかに一四〇キロを上げること自体はすごいことなのですが、あれだけの筋肉があるのなら、本当は一六〇キロとか一八〇キロ程度上げられなければならないはずなのです。それが一四〇キロ止まりだったということは、トレーニングのクオリティがよくなかったということです。

また、清原選手は、何度もけがに悩まされてきましたが、これも、筋肉の質を高めないまま筋肉量を増やしてしまった結果といえます。上半身の筋力に比べて、下半身の筋肉のバランスにも問題があったといえます。

清原選手は日本人としては非常に恵まれた資質をもっていました。あれだけの筋肉をつくり上げられる人は滅多にいません。それだけに、神経経路を鍛えるトレーニングを行っていればと思うと残念でなりません。

ボケ防止に効くのは、脳トレよりも筋トレ

アメリカでこうした「筋肉の能力」ということが注目されるようになったのには、一つのきっかけがありました。それは、高齢者の車の事故が急増したことでした。

日本でも最近、高齢者ドライバーによる事故が増えていますが、これは加齢とともに脳から筋肉への神経経路が衰え、脳が命令を発してから、実際に筋肉がその指令を実行するまでにかかる時間が長くなることが原因です。また、ブレーキとアクセルを踏み間違えるなど、脳の命令を間違えてしまうのも、同様に経路が衰えることが原因です。

脳が危険を察知し、ブレーキを踏むよう命令を出してから、実際に足の筋肉が動いてブレーキを踏むまでの時間を、二十代と六十五歳で比較したデータがありますが、それによると、時速六〇キロで走行していた場合、六十五歳の人は二十代の人が停止した位置から二〇～三〇メートルもオーバーした位置でやっと止まったといいます。

しかし、そうした神経経路の能力が衰えた人でも、脳から筋肉への神経経路を鍛え

るタイプの筋肉トレーニングを重ねると、反応の速度と精度がアップすることがわかっています。

そして、神経経路が鍛えられた筋肉と、神経経路を鍛えず、ただ大きくしただけの筋肉では、神経経路を鍛えたほうが、基礎代謝の増加量があきらかに大きいこともわかってきました。

つまり、神経経路を鍛えることが、より効率よく体温を上げることにもつながるということです。

脳と筋肉の経路を鍛えるメリットは、これだけではありません。

じつは、脳から筋肉への神経経路を鍛えるということは、筋肉のパフォーマンスを向上させると同時に、脳のパフォーマンスも上げるトレーニングになるのです。**筋肉をつけるトレーニングをすることが、同時に脳トレになるということです。**

一九八〇年代のアメリカでは、運動といえば有酸素運動が主流でした。二十五分間運動すれば脂肪が燃焼されるということで、若い人から高齢者まで、健康促進のためにと、さかんに有酸素運動が行われたのです。

しかし、有酸素運動をいくらしても、先ほど述べたように高齢者の車の事故は一向に減りませんでした。そこで運動効果が新たな側面から検証されることになり、九〇年代の半ばごろから、無酸素運動で筋肉を強化することが、事故防止と同時に、老化防止にもつながるという研究結果が出はじめたのです。

アメリカではこうした研究成果を踏まえて、筋肉を鍛えることが国家レベルで推奨されました。その結果、いまでは**筋肉を鍛えることが、体にとっては体温アップにつながり、脳にとってはボケ防止になり、日常生活では事故防止につながる**という知識が、一般の人たちにまで広く浸透してきています。

日本では「脳トレ」ゲームが大ヒットしましたが、室内で一人静かにゲームを繰返すより、筋肉トレーニングをするほうが、脳の受ける刺激ははるかに大きいものとなります。

ですから、本気でボケたくないと思われるなら、ゲームだけでなくあわせて筋トレをなさることをお勧めします。

筋トレは「脳トレ」ゲームよりはるかに優れた脳トレになるのですから。

男性機能の回復にも、筋トレは効果的

さらに、これは男性限定の話ですが、筋肉を鍛えるととても大きなお土産がついてきます。

それは、「男性機能の回復」です。

第一章で、メタボリック・シンドロームの原因の一つに男性更年期障害があり、男性更年期障害の原因は、ストレスによる男性ホルモン「テストステロン」の低下だというお話をしました。

そこで、男性ホルモンは、三十歳をピークに年に一%ずつ、死ぬまで徐々に低下していくとお話ししたのを思い出してください。

「年一%」という低下率、どこかほかでも出てきていたのですが、覚えていらっしゃるでしょうか？

そうです、これは加齢による筋肉の低下率と同じなのです。

じつは、男性ホルモンであるテストステロンと筋肉は非常に密接な関係にあるのです。それは、テストステロンが多いと筋肉が増えやすく、筋肉が多いほどテストステロンの分泌が促されるというものです。

テストステロンが多いと筋肉が増えやすいことは、古くから知られていましたが、最近発表されたデータによると、筋肉が多い人ほどテストステロンが増えるそうです。

それによれば、筋肉が増えると成長ホルモンの分泌が増えますが、この成長ホルモンの分泌が、テストステロンの分泌を促すというのです。**それはすなわち、筋肉を鍛えることが男性更年期障害の改善や男性機能の回復につながるということです。**

これは、メタボリック・シンドロームの人にとってはすばらしい朗報といえます。

なぜなら、メタボ解消のためにもっとも効果的な運動、つまり無酸素運動をしてから有酸素運動をするというプログラムでトレーニングをすると、内臓脂肪が早く落ちるだけでなく、筋肉が増えるので基礎代謝が上がり、太りにくい体質になるのです。

これだけでも充分朗報なのですが、それに加え、筋肉が増えることによってテストステロンが増加するので、そもそもメタボリック・シンドロームになるリスクそのものが減少することになります。

つまり、メタボリック・シンドローム改善のためのトレーニングが、同時にメタボリック・シンドロームの再発予防にもつながるということです。

もちろん、それらに加え、筋肉が鍛えられると体温が恒常的に上がるので、病気にもストレスにも強い強靱な体を手に入れることができます。

まさにメタボの人にとっては、筋肉を鍛えることは、いくつものメリットが同時に得られる究極のトレーニング法といえるのです。

筋トレは三日に一度、毎日するのは逆効果

筋肉トレーニングが体にいいというと、まじめな日本人は、毎日欠かさずトレーニングを行ってしまう人が多いのですが、トレーニングのしすぎは禁物です。

なぜなら、運動のしすぎも体にとってはストレスだからです。

筋肉を鍛えるということは、別の言い方をすれば筋肉細胞をわざと傷つけるということでもあるのです。

筋肉を構成している細胞は、細胞の中でもとても大きく、最大のものは一〇センチ

もの大きさがあります。そのため他の細胞のように、かんたんにつくり替えることができません。でも、そんな性質をもった細胞だからこそ、ほかにはない能力ももっています。それは、細胞の修復機能です。

じつは、筋肉を鍛えるというのは、この修復機能を利用したものなのです。

ある程度の負荷が加わると、筋肉は損傷します。すると、傷ついた筋肉細胞に修復機能が働くのですが、このとき再び傷つかないように、前よりも太い筋肉になるように修復されるという性質があるのです。これこそが、トレーニングによって筋肉が太く発達していく仕組みです。

つまり、筋肉が鍛えられるためには、トレーニングによる損傷と、それを修復するという二つの行程を経ることが必要だということです。毎日のトレーニングが逆効果になるというのは、修復期間にも損傷が行われてしまうからです。

理想的な筋肉トレーニングは三日に一回程度です。これだと、傷ついた筋肉細胞が休みの二日間に修復されるので、筋肉細胞にかかるストレスが最小限度で済みます。

筋肉の絶対量が少ない人は、ある程度筋肉を増やすために、負荷や回数を伴うトレーニングをすることが必要ですが、三か月から半年ほどトレーニングをして筋肉量が増えたら、脳から筋肉への神経経路を鍛えるトレーニングだけでも、充分な筋肉量を維持できるようになります。

私が「スロトレ」を勧める理由

最近、スポーツジムやテレビなどで、効果的な筋肉トレーニング法として「加圧トレーニング」が話題を呼んでいます。

加圧トレーニングとは、かんたんにいうと、ベルトなどで筋肉に流れる血液を制限した状態でトレーニングすることによって、無酸素運動の効果を引き上げるトレーニング法です。

無酸素状態で運動すると、筋肉には「乳酸」という疲労物質がたまります。

じつは、この乳酸がとてつもない威力を発揮するのです。

どういうことかというと、筋肉に乳酸がたまると、それに対してフィードバックメカニズムが働き、脳にその情報が行くことによって、下垂体から成長ホルモンが分泌されるのです。

ごく普通の筋トレを行っても成長ホルモンは出るのですが、乳酸がたまったという情報が脳に行くと、成長ホルモンの分泌量が何百倍という驚くべきレベルで急増するのです。

じつはこの成長ホルモンの急増こそが、加圧トレーニングの効果の正体なのです。

成長ホルモンは筋肉の増加を促進させるホルモンなので、成長ホルモンの量が多ければ多いほど筋肉は大きくなりやすくなります。

つまり加圧トレーニングは、血行をわざと止めることで、無酸素状態をつくりだすとともにエネルギーの供給をストップさせ、乳酸をより効率よく出させることで成長ホルモンを最大限に引き出し、筋肉を増やしていくのです。

効果のとても大きい加圧トレーニングですが、個人で行う場合にはデメリットもあります。

それは、血流を制限して行うので、専門のトレーナーについて行わないと危険が伴うということです。血流を止めすぎると、血流障害を起こしたり、ひどいときには血栓ができたりして、命に関わる危険すらあります。

そこで本書でお勧めしたいのは、加圧トレーニングに近い効果をもちながら、家庭で一人でも安全に行える「スロートレーニング」です。

スロートレーニング、通称「スロトレ」とは、文字どおり非常にゆっくりとしたスピードで行う筋肉トレーニング法です。

具体的にいうと、一回のスクワットを一分間ぐらい、時間をかけて行うのです。まず三十秒ぐらいかけてゆっくり腰を落とし、また三十秒ぐらいかけてゆっくりともとの位置に戻す。これを、呼吸の回数を減らし、できるだけ無酸素に近い状態で行うのです。

このくらいゆっくりとした速度でトレーニングを行うと、筋肉はそれを負荷の大きな運動だと錯覚します。そして、負荷が大きいと錯覚した筋肉は、乳酸がたまったときと同じように、脳に「成長ホルモンをたくさん出してください」とフィードバックを送るのです。

その結果、脳の下垂体から、乳酸がたまったときと同じくらいの成長ホルモンが分泌されるというわけです。

スロトレは、血流を制限しないので、一人でも安全に行うことができます。

トレーニング量の目安としては、一分間一回のスクワットなら、自分の体力に合わせて一〇回から一五回ほど行っていただければ、かなりの筋肉増強につながります。もし、一〇回なんてきつくてとてもできないという人は、三回でも五回でもいいので、できる回数から徐々に増やしていくといいでしょう。

運動経験の少ない人が筋力アップを目指す場合は、最初から神経経路を鍛えるマックススピードの無酸素運動をするより、スロトレと有酸素運動を組み合わせた運動から始めたほうが体への負担は少なくて済むのでお勧めのトレーニング法です。

どちらの方法でも筋肉が増えれば、基礎代謝も体温も上がっていくので、自分に合った方法で、筋トレを生活の中に取り入れていただきたいと思います。

筋トレ前にはバナナを、直後にはチーズを食べろ

スロトレや加圧トレーニングで、筋肉は充分に発達します。

でも、もっと筋肉を増強させたいという人には、筋トレを行う前にＢＣＡＡ

（Branched Chain Amino Acids／ブランチドチェインアミノアシッド）という分岐鎖アミノ酸を摂り、筋トレの直後にたんぱく質を摂取するという方法が効果的です。

ＢＣＡＡというのは、具体的にいうと、「バリン」「ロイシン」「イソロイシン」という三つの必須アミノ酸を指します。

なぜこれらを筋トレの前に摂取するといいのかというと、これらが筋肉をつくる原料だからです。材料が事前にそろっていると、筋肉の修復がスムーズに行われるので、効果的に筋肉を増強することができるというわけです。

筋トレは無酸素運動なので、エネルギー源は一〇〇％グリコーゲン（糖）です。筋肉の増強を目的としたトレーニングでは、どうしても回数や負荷がかかるので、途中で糖が不足してきてしまいます。

そうなると体は、筋肉中のたんぱく質をアミノ酸に分解し、そのアミノ酸から糖をつくりだして使ってしまいます。そのため、せっかくトレーニングしても、筋肉をやせさせてしまうという皮肉な結果になるのです。

でも、ＢＣＡＡを事前に摂取していれば、そうしたことを防ぐとともに、筋肉の修復がスムーズに行われるので、いまある筋肉を損なうことなく増強させることができるのです。

ですから、**筋トレ前にはアミノ酸を摂るのがよい**と覚えておきましょう。

アスリートなどは、市販されているマルチアミノ酸含有食品（数種類のアミノ酸を配合したスポーツサプリメント）でＢＣＡＡを摂る人が多いのですが、**食品で摂るならば、バリン、ロイシン、イソロイシンの三つを含むバナナがお勧めです。**食べるタイミングは、トレーニングを行う三十分前が効果的です。

もう一つの方法、「トレーニング直後のたんぱく質」は、ＢＣＡＡ以上に摂取するタイミングが重要です。

たんぱく質は必ずトレーニング後十分以内に摂ってください。

これに関してはきちんとした論文があり、十分以内に摂るのがもっとも効果的で、二時間経ってしまうとまったく効果がないということがわかっています。

ここでたんぱく質を摂る目的は、筋肉の材料となるたんぱく質を摂ることで、効率よく筋肉を増やすことです。

ですから、摂るのはたんぱく質であれば、プロテインサプリメントでも牛乳でも豆乳でもお好きなものでかまいません。量はそれほどたくさん摂る必要はないので、トレーニング後すぐに口に入れることを考えると、個包されているチーズなどは持ち運びもラクなのでお勧めです。

この方法は、どちらか一つだけでも効果はあります。もちろん両方やれば、さらに大きな効果がありますので、よりアグレッシブに筋肉を増強させたいという方は、ぜひ試してみてください。

筋肉が増えると、体温が恒常的に上がることに加え、疲れ知らずのエネルギッシュな体になるというメリットがあります。

朝食時に枝豆とタラコと梅干しを食べる

人間の体には、嫌気性エネルギー代謝と好気性エネルギー代謝、二つの代謝方法があるということはすでに触れました。筋肉を増やす無酸素運動は、この嫌気性エネルギー代謝を行う「クエン酸サイクル」を回すことによってエネルギーを獲得するのですが、じつはこの獲得回路は、好気性代謝によって得られるエネルギーの何倍ものエネルギーを獲得できるのです。

クエン酸サイクルによって獲得できるエネルギー量は、好気性代謝の一八倍といわれています。

なぜこれほど大きなエネルギーが獲得できるのかというと、クエン酸サイクルでは、食事などから得た糖のほかに、疲労の原因となる「乳酸」を分解してエネルギーに変えるからなのです。大きなエネルギーが獲得できるうえ、疲労物質が分解されるので、筋肉を鍛えると、ハードな運動をしても疲れにくいエネルギッシュな体になる、というわけです。

このクエン酸サイクルは、イギリスの科学者ハンス・クレブス氏が発見したサイクルですが、彼はこの発見により、一九五三年にノーベル医学生理学賞を受賞しました。それくらい、このクエン酸サイクルは、科学上の大きな発見の一つといえるのです。

このクエン酸サイクルを効率よく回すには、ナイアシン、ビタミンB_2、クエン酸の三つの物質が必要とされています。

ナイアシンをたくさん摂りたければ、タラコを食べるのが一番です。ただし明太子になるとナイアシンがなくなってしまうので、ご注意ください。

ビタミンB_2を含む代表的な食品は豆類があげられます。そして、クエン酸をたくさん含む代表選手は梅干しです。

クエン酸サイクルを回してエネルギーをたくさん獲得したいのであれば、たとえば、朝食時にタラコと枝豆と梅干しをいっしょに食べればよいでしょう。そうすると、疲れ知らずのまま一日を過ごすことができます。

もっとかんたんな方法もあります。市販の滋養強壮飲料の中には、ナイアシンとビタミンB_2がたくさん含まれているものが売られているので、それを飲んで梅干しを食べればよいのです。

たとえば、早朝からゴルフに行く。深夜遅くまで残業をする。そんなときはクエン酸サイクルを回す食品を摂ると、疲れがぐっと軽減されます。

ただし、何事も「過ぎたるは及ばざるがごとし」です。この方法はあくまでもここぞというときに試してみるべきであって、毎日同じ食品を食べるようなことはけっしてしないでください。

屋外で筋肉を鍛えると骨も丈夫になる

近年、子どもの骨折率が増加していますが、これは家の外で筋肉トレーニングをすることで改善させることができます。

日本体育・学校健康センター（現・日本スポーツ振興センター）の調べによれば、昭和四十五年度の小学生の骨折率は〇・五三%だったのが、平成十一年度には一・二五%と、約三十年で二倍以上に増加しています。

子どもの骨折率が高くなった理由はいくつか考えられますが、もっとも大きな要因は運動不足です。

子どもは本来、屋外で元気に遊ぶものです。そうして遊ぶことが運動になり、筋肉を鍛え、骨を丈夫にしていたのです。

でも、運動をするとなぜ骨は丈夫になるのでしょう。

運動によって骨に力がかかると、骨に弱いマイナスの電気が発生し、それによってカルシウムが骨に呼び寄せられるからなのです。

また、**運動をすると血行がよくなるとともに体温が上がります。すると骨をつくる細胞の働きがよくなるので、さらに骨密度の高い丈夫な骨がつくられやすくなります。**

つまり、運動は二重に骨を強くする効果があるということです。

これとは逆に運動が足りないと、骨が丈夫になりにくいうえ、筋肉や反射神経の発達が悪くなるため、体のバランスを崩しやすくなり、転んだときに受け身が取りづらく骨折しやすくなります。

ほかにも偏った食生活や、女子の場合は不必要なダイエットによって、骨密度が低下してしまうことも、骨折する子どもが増えている大きな要因の一つとなっています。

このように、子どもの骨折率が増加しているのにはいくつもの要因があるのですが、なかでも私が大きな問題だと思っているのは、子どもが家の外で過ごす時間が短くなっていることです。

最近の子どもの遊びは、テレビゲームやパソコンなど室内でするものが多く、子どもが屋外にいる時間は、昔と比べるとずっと短くなっています。

じつは、子どもの骨がもろくなっていることは、子どもが外で遊ばなくなっていることと、大きく関係しているのです。なぜなら、骨を成長させて丈夫な体をつくるためには、紫外線に当たることが絶対に必要だからです。

そもそも、骨がもろくなるのは、骨の中に蓄えられているカルシウムが血液の中に溶け出してしまうことが原因です。

人間の体は、血液の中につねに一定量のカルシウムを必要としています。そのため、血液中のカルシウム量が低下すると、足りない分を体の他の場所から補充します。このとき、食事などで充分なカルシウムが補われていればよいのですが、カルシウムの摂取が足りないと、体は副甲状腺ホルモンを介し、骨を溶かすことでカルシウムを補充するのです。

骨がもろくなるのは、血液中のカルシウム濃度を正常値に保つために、骨からカルシウムが奪われることが繰り返された結果なのです。

反対に骨が丈夫になるのは、血中カルシウム濃度が一定以上になり、余分が骨に蓄えられたときです。

骨を丈夫にするために、小魚や海草などカルシウムを多く含んだ食事が勧められるのはこのためです。

女性はもっと紫外線に当たりなさい

でも、ここには一つの問題があります。

それは、カルシウムというのは、いくら食事で摂っても、それだけでは血中カルシウム濃度があまり上がらないということです。

食事に含まれるカルシウムが腸から吸収され、血液に取り込まれるためには、「活性化されたビタミンD」が必要です。さらに活性型ビタミンDは、血中カルシウムが骨に定着するのにも必要となります。

ここで注意していただきたいのは、ただのビタミンDではなく、「活性化されたビタミンD」でなければダメだということです。

ビタミンDは食事やサプリメントで摂ることができますが、それらはすべて不活性なビタミンDです。カルシウムの吸収をするためには、この不活性のビタミンDを体の中で活性化させなければいけないのですが、この活性化に必要不可欠なのが「紫外線」なのです。

つまり、**いくらカルシウムの豊富な食事をしても、陽に当たらなければビタミンDが活性化しないので、せっかくカルシウムの豊富な食事をしても骨は丈夫にはならない**ということです。

丈夫にならないどころか、腸から吸収されないカルシウムはそのまま体外に排出されてしまうため、カルシウムの豊富な食事をしても、血中カルシウム濃度が上がらず、正常値を保たなければならない体は、結局骨を溶かしてカルシウムを補充しなければならなくなり、骨がどんどんスカスカになっていってしまうのです。

ですから成長期の子どもは、できるだけ屋外で元気に遊ばせることが、健康な体をつくるためにとても大切なのです。

子どもの骨折について述べてきましたが、これは大人にも当てはまることです。

とくに女性は、成長期の子どもと同じくらい、充分な紫外線が必要です。

女性はホルモンの関係から、更年期になると男性よりも骨粗鬆症（こつそしょうしょう）になりやすいので、それを防ぐためにも、若いときから充分陽に当たり、強い骨をつくっておくことが必要です。

女性はシミができるといって、紫外線に当たることを極端に嫌う人が多いのですが、どれほど美しい肌をしていても、骨が弱くなって杖を使わなければ歩けないようでは台なしです。

いくらカルシウムを摂っても、ジムなど室内だけでトレーニングをしていたのでは骨は丈夫にはなりません。

骨を丈夫にするには、カルシウムとビタミンDの豊富な食事をするとともに、戸外で陽を浴びながら運動をすることが必要なのです。

どうしても日焼けやシミが気になるという方は、サングラスをかけたり、帽子をかぶるなど気になる部分のＵＶケアをなさってください。その状態でも陽に当たれば、ビタミンDを活性化させることは充分にできます。

ゴルフ場にバナナと梅干しが置いてある理由

屋外で運動するときに気をつけてほしいことがあります。

それは夏場の熱中症です。

体温を上げることは体にとって絶対的によいことなのですが、夏場のように外気温が高いときに運動をすると、大量の汗をかくために、水分とミネラル分が体から失われすぎてしまう「熱中症」を起こす危険性があります。

熱中症は対処が遅れると命にも関わる危険な病態です。

ただ、正しい予防と対処をするためにも、ここできちんと理解しておいてほしいのは、悪いのは体温を上げることではなく、水分とミネラル分が失われてしまうことだということです。

別の言い方をすれば、水分とミネラル分さえきちんと補っていれば、夏場でも安全に運動をすることができるということです。

夏場の水分は、**のどが渇いたと自覚をする前に摂ることが必要です。のどが渇いたと感じてから水を飲むのでは遅すぎます。**ある程度、時間を決めて、定期的に水分摂取をするようにしましょう。

また、体の中の水分が足りているかどうかチェックする際の目安となるのが、尿の色です。

体に充分な水分があれば、尿は透明に近いごくうすい黄色になります。そして、体内の水分が減少すればするほど色が濃くなっていきます。皆さんも朝、寝起きの尿の色が、日中のものより濃いことにお気づきだと思いますが、あれは、睡眠中は水分補給ができないため、体内の水分量が減少した結果なのです。

ですから、尿に色がついているなと思ったら、充分な水分を摂ってください。

でも、熱中症を予防するためには、水分の補給だけでは不充分です。

汗がしょっぱいことからもわかるように、汗には大量のミネラル分が含まれています。この汗として失われるミネラル分を水分といっしょに補わなければ、水分を充分に摂っていても熱中症になってしまいます。

汗で失われる水分とミネラル分をいっしょに補うのにもっとも適しているのは、「アイソトニック飲料」、つまりスポーツドリンクといわれるものです。アイソトニック飲料には、汗によって失われる水分とミネラル分がバランスよく含まれているので、熱中症の予防には優れた効果をもちます。

ただ、問題は市販のスポーツドリンクには糖分も大量に含まれているということです。マラソン選手のように同時に糖分も大量に消費する運動をする場合にはいいのですが、ダイエットを目的に運動している人の熱中症対策には少し問題もあります。

そこで、私がお勧めしたいのが、水の摂取に加えて「梅干し」と「バナナ」を摂っていただくことです。

なぜ「梅干し」と「バナナ」がいいのかというと、その欠乏が熱中症につながるナトリウムとカリウムを、効果的に補うことができるからです。梅干しはナトリウムを、バナナはカリウムを豊富に含みます。

ゴルフをなさる方はご存じだと思いますが、この二つはゴルフ場のクラブハウスにたいてい置いてあり、自由に食べることができるようになっています。ちょっと高級なゴルフ場だと、これらに加えて「岩塩」が置いてあるところもあります。

なぜそんなサービスをしているのかというと、コースに出る前やプレイの途中で**バナナや梅干し、岩塩などを摂ることが熱中症の予防に効果的だからなのです。**

熱中症になってしまったら、体を日陰で休ませ、股関節や首など太い動脈の通っているところをアイシングするとともに、すぐに救急車を呼び、専門医に治療してもらうことが必要です。

熱中症になってしまってから、水分や梅干しを口に入れても遅すぎます。

でも、運動をする前に、梅干しとバナナ、そして充分な水を摂っていれば、熱中症を予防することができます。

夏場は運動時でなくても、大量の水分を必要とする子どもや、もともと体内の水分量の少ないお年寄りなどは熱中症を起こすことがあるので、ふだんから適切な予防対策を心がけていただきたいと思います。

コアマッスルを鍛えると基礎代謝が二〇%アップする

いくら筋肉を鍛えると体にいいといっても、腕や股の筋肉が太くなり、女性らしい美しいスタイルが失われるのは嫌だ、という人は多いでしょう。

そういう人にぜひお勧めしたいのが、トレーニングをするときに、鍛えたい筋肉に意識を集中させるというトレーニング法です。

たとえば、通常まったく意識しないでベンチプレスや腕立て伏せを行うと、腕の筋肉が発達します。しかし、まったく同じことをしても、**胸の筋肉（大胸筋）に意識を**

集中して行うと、そこの筋肉が鍛えられるので、腕は太くならずバストアップが実現するのです。

同じ理由で、ウォーキングやジョギングをするときも、**腹筋やおしりの筋肉に意識を集中させれば、ウエストを引き締め、ヒップアップを実現させながら、足が太くなるのを防ぐことができます。**

じつは、体型を決定するのは、どんな運動をするかではなく、どこの筋肉に意識を集中させるかなのです。

そこで、男性にも女性にも、ぜひ実践していただきたいのが、日常生活の中で、コアマッスル（体幹支持筋群）を意識するということです。

コアマッスルとは、首から肩、背中、腰に及ぶ文字どおり姿勢を保持するのに使われる筋肉です。よく姿勢がいいとか、背筋が伸びているといいますが、コアマッスルを意識するというのは、まさに腹筋を引き、背筋を伸ばすということなのです。

私たちはふだん、真っ直ぐ背筋を伸ばしているようで、じつは伸ばしていません。イスに座っているときも腰や背中が曲がっている人がほとんどです。歩いているときも、意識して背筋を伸ばしている人は多くないでしょう。

こうして意識しないでいると、コアマッスルはどんどん衰えていきます。コアマッスルが衰えると、猫背や肩こりといった症状が現れ、それを放っておくと年をとったときに腰が曲がってしまいます。

反対に、コアマッスルが鍛えられていると、姿勢がよくなるので、それだけで若々しく見えます。実際にそう見えるだけでなく、血液の循環がよくなるので、新陳代謝の活発な疲労回復しやすい若々しい体になります。

コアマッスルを鍛えるには、いつも姿勢をよく保つように意識することです。

女優さんがインタビューを受けているときの姿を見ると、背筋がぴんと伸びてとてもきれいです。また、モデルの人が歩く姿は、背筋が伸び腹筋が引き締まり、とても若々しく見えます。

こうした姿をイメージしながら、つねによい姿勢を維持するようにします。座っているときの姿勢維持のコツは、両肩を少し後ろに引くような感じで胸を張ること、歩くときのコツは、それに加え腹筋を引き、同時におしりの穴を引き締めるような意識をもつことです。**とくにおしりの穴をキュッと締めるのは、とても効果的です。**

最初はとてもつらく、ついつい筋肉を弛緩させることが多いと思いますが、続けていくうちにコアマッスルが鍛えられるので、自然とよい姿勢が保てるようになっていきます。

姿勢をよく保つ、たったそれだけのことなのですが、体には絶大な効果があります。

じつは、コアマッスルが鍛えられると、それだけで基礎代謝が二〇％もアップするといわれています。

基礎代謝一四〇〇キロカロリーの人なら、二八〇キロカロリーもアップするということです。これはジョギングにして一時間以上のエネルギーに相当します。

さらに、コアマッスルは、とても大きな筋肉なので、体温の恒常的アップにも大きく寄与します。

筋肉の中でもとくにコアマッスルを鍛えることは、健康で美しい体を手に入れるもっとも効率のよい方法なのです。

第3章

ストレスが低体温人間をつくる

病気の始まりはストレスに関係している

病気の発生学の進歩によって、私たちを苦しめる病気の原因の多くがストレスにあることがわかってきました。

しかし、ひとくちに「ストレス」といっても、その実体はさまざまです。

対人関係や仕事のプレッシャーといった「精神的ストレス」もあれば、肉体疲労や睡眠不足、痛みなどの「身体的ストレス」もあります。本書では、そうしたものはもちろん、ふだん私たちがストレスと自覚していなくても、体がストレス反応を起こすものはすべて、ストレスと考えます。

人間の体は、つねにベストの状態を保つように、さまざまな機能が働いています。ストレスが加わったときも、体はもとのよい状態に戻すよう、さまざまな反応をします。それがストレス反応です。

たとえば、寒いときに体がブルブル震えたり、暑いときに汗が出たりするのも、ストレス反応の一つです。ほかにも、プレッシャーを感じて胸がドキドキしたり、緊張してのどが渇いたり、恐怖を感じて鳥肌が立ったりするのもストレス反応です。嫌なことがあると、イライラしたり、寝つきが悪くなったり、食欲がなくなったり、逆に無性にものが食べたくなったりしますが、これもストレス反応の一つです。

私たちの体で最初にストレスを認識するのは「脳」です。

精神的ストレスはもちろん、身体的ストレスも、全身に張りめぐらされた神経を通じてその「情報」が脳に行きます。そして、脳の「視床下部」というところで「ストレス」と認識されます。

視床下部の働きはたくさんあります。ストレスを認識するほかにも、体温調節や下垂体（かすいたい）ホルモンの調節、さらには摂食行動や飲水行動、性行動、睡眠といった本能行動や、怒りや不安などの情動行動も司っています。先ほど述べたような、さまざまなストレス反応が起きるのも、そうした行動を司っている視床下部とストレスが深く関わっているからなのです。

一九八八年に『淋しい女（ひと）は太る』（マガジンハウス）という、インパクトのあるタイトルの本が話題になったことがありました。

本の著者は臨床心理士の植松治彦氏で、この本では「食べる」ことと「セックス」

がとてもよく似た行為であることを説明したうえで、異性との心の通った関係（性行為を含む）をもたない女性が、食欲を満たすことで、その淋しさを紛らわそうとする傾向にあることが述べられています。

性的欲求不満を抱える女性が満腹中枢を満たしたくなるというのは、すべての女性に当てはまるというわけではありませんが、視床下部が性行動と摂食行動の両方を司っていることからも説明がつきます。

失恋でやけ食いをして太ってしまう人がいるように、失恋で食欲をなくし、激やせしてしまう人もいます。

ですから、**性的欲求不満という「ストレス」をため込んでしまうと、視床下部の指令系統に誤作動が生じ、食べすぎや食べなさすぎという、いわゆる「摂食障害」になりやすい**ということがいえるのだと思います。

私たちは日々の生活の中でさまざまなストレスを感じながら生きています。

体はそうしたストレスに反応しながら、肉体的にも精神的にもつねによい状態を保とうと、日々ベストを尽くしているのです。私たちが健康でいられるのは、そうした体の頑張りのおかげなのです。

でも、そうした体の頑張りにも限界はあります。

ストレス状態が長期間続くと、体はストレスに対応しきれなくなり、バランスを崩し、よい状態を保てなくなります。それが「病気」の始まりです。

こうした病気発生のメカニズムに大きく関わっているのが、「自律神経のバランス」と「ホルモンのバランス」です。

第一章で述べたように、人間はストレス状態が長く続くと、自律神経のバランスや、ホルモンのバランスを崩してしまいます。

このバランスの崩れが多くの病気の原因となっているのです。

では、そもそも、なぜストレス状態が続くと、自律神経と内分泌のバランスが崩れてしまうのでしょうか。

それを説明するには、まず私たちの体がストレスを感じたとき、いったいどのように対処しているのかを知っていただくことが必要です。

少し面倒くさいかもしれませんが、体の中で何が起きているのかがわかると、何が体によいことなのか、何が体に悪いことなのかがわかるので、少しだけ我慢しておつきあいいただきたいと思います。

早寝早起きが体にいいのはなぜだろう？

人間の体は、交感神経と副交感神経という二つの自律神経が交互に支配することでバランスをとっています。

私たちは手や足は自分の意思で自由に動かすことができますが、心臓の動きや腸の動きといった臓器の動きを意識的にコントロールすることはできません。そうした意識的にコントロールできない体のさまざまな働きをコントロールしているのが自律神経です。

交感神経が体を支配すると体はどうなるのでしょう。

交感神経が体を支配すると、血管が収縮して血圧が上昇し、気道が拡張して心拍は速くなります。そしてその一方で、胃や腸など消化器系の働きは抑制されます。つまり、運動するときや仕事をするときなど、脳や筋肉をアクティブに活動させるのに適した状態になるのです。

副交感神経が体を支配すると、ちょうどこれと逆の状態になります。

血管が拡張して血圧は下降し、気道は収縮して心拍が緩やかになり、消化器系の働きが活発になります。これは、体を休めたり食事を消化・吸収したりするのに適した状態です。

このように、自律神経が切り替わることによって、活動するときと休むとき、それぞれに適した状態に体を変化させているのです。

この自律神経の働きを司っているのも、じつは脳の「視床下部」です。

先ほど説明した、ストレス認知を行っている脳の部位と同じところなのです。ストレス状態が続くと自律神経のバランスが崩れるのはこのためです。

では、自律神経のバランスが崩れるというのはどういうことなのでしょう。

自律神経には、もともと「日内リズム」というものがあります。

これは、かんたんにいえば、朝起きてから夕方日が沈むころまでは交感神経が優位に働き、夜に体を休めたり寝ている間は副交感神経が優位に働く、というリズムです。

一応こうした日内リズムはあるのですが、自律神経はそのときどきの刺激や行動によっても、その都度敏感に反応して切り替わります。

たとえば、眠気が襲ってきたときに体を動かすと目が覚めますが、これは副交感神経優位になっていた体が、体を動かしたことに反応して、交感神経優位に切り替わるからです。

また、日中でも食後に眠くなるのは、胃腸が動いたことによって、それまで交感神経優位だった体が、副交感神経優位に切り替わるからなのです。

ですからたとえ夜でも、仕事をしていれば交感神経が優位に働き、日中でもごろごろしていれば副交感神経が優位に働きます。

そしてじつは、**こうした日内リズムに反した生活をすることがストレスとなり、自律神経のバランスを崩し、病気をつくりだしてしまっている**のです。

理想は、日内リズムに即して、活動すべき時間にきちんと活動し、休むべき時間にきちんと休み、それぞれの自律神経をバランスよく刺激することです。

なかには規則正しく夜働いて昼間眠るという夜勤の仕事をしている人がいますが、どんなに規則正しくても、睡眠時間が充分にとれていても、体本来のリズムである日内リズムに反する生活は自律神経のバランスを崩すことにつながります。

早寝早起き、規則正しい生活が、健康を維持していくうえでとても大切なのは、それが自律神経のバランスを整えるもっともよい方法だからなのです。

自律神経のバランスが崩れると低体温人間になる

自分の体の自律神経のバランスが乱れているかどうか、もっともかんたんに知る方法は体温を測ることです。ふだんから体温が高ければバランスがよく、体温が低い状態が続いていればバランスは崩れているといえます。

なぜなら、交感神経が過剰に緊張してしまった場合も、副交感神経が過剰に緊張してしまった場合も、どちらも血流障害が起こり、低体温になるからです。

ただ、結果は同じ低体温でも、低体温に至る機序（メカニズム）は違います。

まず、交感神経過剰型低体温のほうから見ていきましょう。

残業続きで睡眠不足の人、ハードな仕事が続いている人、仕事のプレッシャーや人間関係で精神的ストレスを抱えて悩んでいる人は、どうしても交感神経が過剰に緊張してしまいます。

じつは白血球も臓器と同じように自律神経の支配下にあり、交感神経が過剰に緊張すると、白血球の中の「顆粒球」が増加することがわかっています。

私たちはふだん、ひとくちに「白血球」といっていますが、白血球には「顆粒球」と「リンパ球」「単球」の三種類があります。そして、これらの中で体の免疫機能をおもに担っているのが、「顆粒球」と「リンパ球」です。

顆粒球は、白血球全体の六〇％近くを占め、体外から侵入してきた細菌に対して働きます。

リンパ球は、白血球全体のおよそ三〇％を占め、おもにウイルスやカビに対して働きます。

交感神経が過剰に緊張すると、顆粒球が増加します。

顆粒球が増えるのは一見するといいことのように思えます。でも、過緊張によって顆粒球が増加しすぎるのは、体にはよくないのです。なぜなら必要以上に顆粒球が増えすぎると、顆粒球が死滅するときに発生する活性酸素によって体のさまざまな部分の組織が破壊されてしまうからです。

また、**こうして発生した大量の活性酸素は、血液を酸化させ、いわゆる「ドロドロの血液」に変えてしまいます。**

血液がドロドロになると、血の巡りが悪くなるので低体温になります。

これが交感神経の過緊張による低体温です。

働きすぎとは反対に、だらけた生活や運動不足が続くと、体は副交感神経が過剰に緊張します。そして、副交感神経が過剰に緊張すると、白血球の中のリンパ球が増加します。

副交感神経が優位になると、血管が拡張するので、はじめのうちは血行がよくなります。

しかし、副交感神経優位が長期間にわたり、過緊張にまでなってしまうと、かえって血液の流れが滞（とどこお）るようになります。これは水量が同じなら、川幅が広いほうが、流れが緩やかになるのと同じです。

こうして副交感神経の過緊張でも、やはり血流障害が起き、低体温になるのです。

低体温の人が増えているのは、自律神経のバランスを崩している人がいかに多いかを物語っているといえるでしょう。

鎮痛解熱剤とステロイド剤と抗ガン剤には注意せよ

交感神経、副交感神経、どちらが過剰に緊張しても病気を招いてしまいます。でも、どちらが過緊張なのかによって、かかる病気は違ってきます。

交感神経の過緊張は、血流障害と低体温に加え、顆粒球が増加するので、粘膜や組織が破壊されてしまいます。そのため次のような病気になりやすくなります。

・胃潰瘍――胃粘膜の損傷によって発症
・十二指腸潰瘍――十二指腸粘膜の損傷によって発症
・潰瘍性大腸炎――大腸粘膜の損傷によって発症
・間質性肺炎――肺間質の細胞組織損傷によって発症
・メニエール病――内耳組織の破壊によって発症
・歯周病――歯周組織の破壊によって悪化

交感神経過緊張の最大の原因は「働きすぎ」です。

日本人は勤勉な人が多いので、どうしても仕事のしすぎや睡眠不足などで交感神経を緊張させてしまいます。また、精神的なストレスも交感神経を緊張させます。現代社会では精神的ストレスを感じていない人などいないので、日本人のほとんどは、交感神経の「過緊張」とまでは行かなくても「かなり優位」な状態になっているといっていいでしょう。

でも、日本人の多くが交感神経過緊張になってしまっている原因は、これだけではありません。じつはもう一つ、大きな原因があるのです。

それは「薬剤性ストレス」です。

聞き慣れない言葉だと思いますが、薬によるストレスということです。**薬は病気を治療するためにはとても大切なものですが、体にとってはストレスなのです。**

日本の医療しか受けていないと気づきませんが、じつは日本という国は、世界一の抗生物質の濫用国です。

抗生物質はおもに化膿止めや感染症の治療薬として用いられていますが、そのほかにも農薬や食品保存剤としても使われているので、薬を飲まない人でも知らず知らずのうちに摂ってしまっています。

こうして日本人の多くが継続して摂ってしまっている抗生物質は、交感神経を緊張させる薬です。そのほかにも日本人の多くが常用している、血圧を下げる薬「降圧剤」や、肩こりや腰痛のときに使う貼り薬の「湿布」も交感神経を緊張させます。

湿布で病気になるなんて、と思われるかもしれませんが、実際に湿布を二十年間、毎日のように使っていたところ、気がついたときには、間質性肺炎になってしまったという患者さんを私は知っています。

間質性肺炎というのは、肺の中の肺胞と肺胞の間の部分の組織が繊維のように硬くなってしまう病気です。この病気になると、肺が充分なガス交換をできなくなり、病状が進行すると死に至るとても怖い病気です。

間質性肺炎が薬の濫用でも発症することは医学の世界では有名で、「薬剤性間質性肺炎」という病名がつけられています。

そして残念なことに、日本は世界各国から非難を受けるほど、この薬剤性間質性肺炎の患者が多い国なのです。

薬剤性ストレスを防ぐもっともよい方法は、薬を飲まないことです。

でもそれは、現代生活を送る私たちにとっては不可能に近いことでしょう。

そこで、薬剤性ストレスによる病気にならないために、とくに気をつけていただきたい薬を三つだけ指摘しておきます。使用する際は充分に考えてから判断するようにしてください。

一つは「鎮痛解熱剤」、二つ目は「ステロイド剤」、そして三つ目が「抗ガン剤」です。この三つの薬は、確実に交感神経を刺激するので、使用は必要最少限度にとどめることをお勧めします。

なかでも鎮痛解熱剤は、市販薬がたくさん出ており、頭痛や生理痛、風邪(かぜ)の発熱など、気軽に服用してしまいがちなので注意が必要です。

日本では、病院に行くと必ずといってもいいほど薬が処方されます。そしてまじめな日本人は、処方された薬をほとんど飲み切ります。薬を処方しなければ成立しない現在の日本の医療制度にも問題がありますが、自分の体のことなのですから、薬についての知識を一人ひとりがきちんともち、そのリスクを知ったうえで飲むことが大切だと思います。

子どもに炭酸飲料を飲ませすぎてはいけない

副交感神経の過緊張では、血流障害と低体温に加え、「リンパ球」が増加します。

リンパ球が必要以上に増加すると、免疫の過剰反応によって発症する病気になりやすくなります。

具体的にいうと、

・喘息（ぜんそく）
・アトピー
・花粉症

などの「アレルギー疾患」です。

アレルギーは、ハウスダストや動物の毛、花粉、食物中のたんぱく質など特定のアレルゲンをリンパ球が抗原と誤認することで起きる免疫過剰による病気です。そして、この「誤認」を起こさせていたのが、リンパ球が増えすぎるという「免疫の過剰」なのです。

副交感神経を過剰に緊張させる最大の原因は、運動不足とだらしない不規則な生活です。そのほかにも食事や間食のとりすぎ、炭酸飲料の飲みすぎ、車の排ガスや環境ホルモンなども、副交感神経を刺激します。

近年、アレルギーの幼少化が問題になっています。

なぜ、アレルギーが幼少化したのでしょう。

じつはその原因の一つは、母親のストレスだと考えられるのです。

実際、生まれたお子さんのアレルギーで悩んでいるお母さんの血液を検査すると、たいていの場合、リンパ球の数が多いのです。

赤ちゃんは、もともと免疫力がなく、母乳を通して母親から免疫をもらうので、そのとき母親がアレルギー体質だと、子どももその体質を受け継いでしまうというわけです。

もちろん、アレルギーの原因は母親だけではありません。ほかにも二つ、アレルギーの幼少化を招いてしまっている大きな原因があります。

まず一つは、子ども自身のライフスタイルの変化です。最近の子どもは昔に比べると室内で過ごす時間が多く、それだけ運動不足になりやすいといえます。また夜更かしの子どもが増えているのもアレルギー発症のリスクになっています。受験勉強などでの夜更かしは交感神経を刺激しますが、テレビを見たりゲームをするなど、だらしのない生活の夜更かしは副交感神経を緊張させることになります。

さらに、間食をとったり炭酸飲料を飲む機会が増えていることも、子どものアレルギー発症のリスクを高めています。

間食の回数や量が増えると、そのたびに胃腸が動くので副交感神経が刺激され、本来なら交感神経が優位に働くべき時間帯に副交感神経が刺激されてしまいます。

また炭酸飲料は、二酸化炭素を含んでいるので、飲むと二酸化炭素の血中濃度が上がってきます。そして、この増えた二酸化炭素が副交感神経を刺激するのです。**炭酸飲料を飲むとなんとなくぼうっとして眠くなりますが、それは副交感神経が刺激されるからなのです。**

二つ目の要因は、やはり環境問題です。

花粉症は、排ガスや農薬など有害物質の摂取が症状を悪化させることがわかっていますが、それは、それらが副交感神経を刺激し、過緊張の状態をつくりだしてしまうからなのです。ですから、排ガスや農薬、環境ホルモンなどは、花粉症にかぎらず、すべてのアレルギー疾患を悪化させてしまうと考えてください。

アレルギーは一度発症してしまうと、自律神経を整えてもかんたんにはよくならないやっかいな病気です。ですから、なった場合にライフスタイルや環境を見直すことはもちろん大切ですが、できるだけならないように、ふだんから規則正しい生活と適度な運動を心がけることが大切です。

あなたは交感神経優位型か、副交感神経優位型か

同じような生活をしていても、ある人は病気になり、ある人はならない。そうしたことはよくあります。

こうした個人差をつくりだしている要因はいろいろ考えられますが、その中の一つに、「自律神経のタイプの違い」があります。

じつは、人にはもともと交感神経優位型の人と、副交感神経優位型の人とがいるの

です。

この自立神経のタイプの違いは生まれながらのもので、その人の性格や行動パターンにも影響します。

交感神経優位型の人は、性格はアクティブ。インドア派とアウトドア派に分けると、あきらかなアウトドア派です。何事に対しても積極的で、休みでもあまり家にじっとしていることが好きでなければ、交感神経優位型と思って間違いありません。

副交感神経優位型の人は、性格はおっとり、のんびりのインドア派です。休日は自宅でゆっくり寝て過ごすのが好きという人は、副交感神経型です。

でも、これはあくまでも生まれもったものです。学生時代までは副交感神経型でも、社会人になって残業続きの交感神経ばかりを刺激するハードな生活を送ってしまうと、体は交感神経過緊張になってしまいます。

でも、もともと交感神経優位型の人が交感神経を刺激する生活をするより、もともと副交感神経優位型の人——ヨーロッパ人に多い傾向があります——のほうが、交感神経過緊張が招く病気にはなりにくいということはいえます。

同様に、もともと交感神経優位型の人は、副交感神経優位型の人より、副交感神経の過緊張が招く病気になりにくいといえます。

自分のタイプを知り、自分がどんな病気になりやすいのかを知っておくことは病気を予防するうえでとても役立ちます。

ただ、ここで一つ知っておいていただきたいことがあります。

それは、アレルギーに苦しんでいる人でも、交感神経の過緊張によってそれが起きている場合があるということです。

基本的に、アレルギーは副交感神経の過緊張によって発症する病気であることはすでにお話ししたとおりなのですが、もともと副交感神経優位タイプで、アレルギー体質をもっている人の場合は、交感神経の過緊張によってもアレルギーが発症・悪化してしまうことがあるのです。

これは、交感神経優位型の人と副交感神経優位型の人では、交感神経が緊張したときに増える顆粒球に違いがあるからです。

細かい話になりますが、顆粒球には「好中球」「好酸球」「好塩基球」という三種類があります。もともと交感神経優位型の人は、交感神経が過剰に緊張したとき、増える顆粒球は好中球だけなのですが、副交感神経優位型の人が交感神経過緊張になると、好中球に加え、好酸球も増えてしまうのです。

好酸球にはアレルギーの抗体と抗原をくっつける働きがあるため、交感神経過緊張で好酸球が増えることでも、アレルギーは発症・悪化してしまうのです。

ですから、胃潰瘍になった人は、交感神経の過緊張が原因だと言い切れるのですが、アレルギーになったからといって、副交感神経の過緊張が原因だとは言い切れないのです。

アレルギーがさらにやっかいなのは、必ずしも副交感神経優位型の人でなくてもなる危険性がある病気だということです。

じつは私自身、花粉症なのですが、私はもともと交感神経優位タイプで、生活もやや交感神経過緊張です。そんな私がなぜ花粉症になってしまったのかというと、学生時代に一人暮らしをしたときの失敗が原因なのです。

私はわりときれい好きで、一人暮らしをしていたときも掃除・洗濯はまめにしていました。ですから部屋はいつもきれいでした。でも、そこは大学に入るまでほとんど親元で暮らしていた男子学生です。エアコンのフィルターはこまめに掃除しなければいけない、ということを知らなかったのです。

知らないまま、学生時代を過ごしました。

一年経ち、二年経ち、たまにエアコンをかけていると鼻がムズムズすることがあったのですが、そのときはまったく気にしていませんでした。

でも、自分でも気づかないうちに、エアコンからの汚れた排気を吸い込むことで、私の体の中ではリンパ球が増加していたのだと思います。

そして、忘れもしない大学四年生の春、ついにエアコンが効かなくなったのです。

そして、「故障したのかな?」と思った私は、エアコンのフィルター部分を、無防備に開けてしまったのです。すると——、恐ろしいことに四年分の埃がまさに「ドサッ」と私の頭上から降ってきたのです。

あまりに大量の埃を吸い込んだことによって、私はアレルギーを発症、それ以来、花粉症を患うようになってしまったのです。

こうして一度なってしまうと、アレルギーはなかなか治りません。

このように環境的原因があれば、交感神経優位型の人でもアレルギーになってしまうので、アレルギーがあるというだけでは、副交感神経優位型だということもできません。自分はどちらのタイプか知りたいときは、子ども時代の自分を思い出してチェックしてみてください。

先に現在の日本人のほとんどが交感神経過緊張だといいましたが、同時に、日本人の多くが花粉症やアトピーといったアレルギーに悩まされているのには、こうした理由があるのです。

ストレスを受けると細胞もダメージを受ける

ここまで、脳の視床下部でストレスが認知されることによって、自律神経にどのような影響が出るのかを見てきました。

ここからは、脳の視床下部から始まるもう一つのストレス経路、ホルモンのバランスについて見ていきます。

脳の視床下部でストレスが認識されると、視床下部はストレスによって体が受けたダメージを回復させるため、同じく脳の「下垂体」と呼ばれる場所に指令を出します。

視床下部から指令を受けた下垂体は、ダメージ回復の実働部隊ともいうべき副腎にストレス軽減に役立つホルモンを出すよう指令を出します。これによって副腎から出るのが、「コルチゾール」というホルモンです。

この「視床下部」と「下垂体」と「副腎」の関係は、ちょうど「社長」と「部長」と「部下」の関係に似ています。

社長（視床下部）の命令が部長（下垂体）に行き、部長が部下（副腎）に社長の命令に沿った仕事をするように指令を出す、すると部下が実働部隊として働く、というわけです。

こうした脳から副腎への一連の流れを、それぞれの頭文字をとって「ＨＰＡアクセス」といいます。

さらにおもしろいのが、部下である副腎（Ａ）からは、社長（Ｈ）と部長（Ｐ）、それぞれにフィードバック、つまり状況報告が行われるのです。

通常は、ストレスを感じるとコルチゾールの分泌量が増え、ストレスが解消されるとコルチゾール値が正常化します。

でも、ストレス状態が長く続き、ずっとコルチゾールを出しつづけていると副腎は疲れ果ててしまいます。そうした副腎のハードな働きぶりは、視床下部と下垂体へ報告（フィードバック）されているので、あまりにも副腎が働きすぎると、「ちょっと休ませなさい」という命令が社長から部長へと行くことになります。

こうなると、ストレスがあるにもかかわらず、コルチゾールが出ないという状態になってしまいます。これが第一章でも触れた副腎の疲労状態「アドリーナル・ファティーグ」です。

では、このコルチゾールとはどのような働きをするホルモンなのでしょう。

じつは、コルチゾールというのは、疲労した細胞を元気にする働きを担っているホルモンなのです。

私たちの体は、約六〇兆個の細胞から構成されています。体がストレスによってダメージを受けるということは、細胞がダメージを受けるということです。

人間の体の六〇％は水分だといいますが、これはどこかに水分がまとまってたまっているわけではなく、六〇兆個の細胞それぞれが細胞の六〇％の水分を抱えているということです。

細胞にそれだけの水分を保たせているのは、「マイナス七五ミリボルト」という細胞の内側と外側の「電位差」です。ストレスが加わるとこの電位差に乱れが生じ、その結果、細胞から水分が失われます。このとき細胞から失われる水分というのは、ただの水ではありません。細胞が活動するのに必要な養分など、いろいろ大切なものを含んでいます。そのため、水分が細胞から失われると、細胞自体の活力が低下してしまうのです。

こうした細胞レベルのダメージを回復させることができるのが、「糖（グルコース）」です。そしてコルチゾールは、この糖が細胞に行き渡りやすくなるよう、血糖値をコントロールする働きをもったホルモンなのです。ここでは単純化してお話ししますが、コルチゾールが増えると血糖値が上がり、コルチゾールが減少する（正常化する）と血糖値は低くなると考えてもらえればかまいません。

コルチゾールが血糖値を上げるのに対し、膵臓から出るインシュリンが血糖値を下げる、と思っている人が多いのですが、この二つの関係は実際にはもう少し複雑です。

血糖値が上がったときにインシュリンが出るのは、じつは細胞が血液中の糖分を取り込むためにインシュリンが必要だからなのです。

糖尿病というのは、膵臓からインシュリンが出なくなってしまう病気です。

糖尿病には、大きく分けて、膵臓の機能自体に問題が生じてインシュリンが出なくなるI型糖尿病と、膵臓の疲弊によってインシュリンが出なくなるII型糖尿病があります。II型糖尿病は太りすぎの人がなりやすいのですが、糖尿病を放置して症状が悪化すると、決まってみんなやせていきます。これは、血液中に糖がいっぱいある状態なのに、インシュリンが足りないために、細胞が養分を吸収できない状態が続くことが原因です。

つまり、インシュリンとコルチゾールは、たんに反対の性質をもっているのではなく、互いに協力しあって細胞に養分を送り込んでいるのです。

こうしてコルチゾールとインシュリンの働きによって、細胞が再び元気を取り戻すと、ストレスが消えたという情報が視床下部に行きます。すると、視床下部から下垂体へ、下垂体から副腎へという流れで、今度は「もうコルチゾールをたくさん出さなくていいよ」という命令が行き、ホルモン分泌が正常な状態に戻るのです。

ちなみに、コルチゾールとインシュリンはいっしょに働くため、ストレス状態が続き、副腎が疲弊するほどコルチゾールを出しているときは、インシュリンを出す膵臓も仕事量が増えるので疲れています。

つまり、副腎疲労の状態にある人は、糖尿病リスクも高まっているということです。

たとえ太っていなくても、食べすぎていなくても、ストレスの多い生活をしていると、**糖尿病リスクは高くなる**ということです。

ドロドロ血液の原因は低体温だった

副腎疲労の人は、一〇〇パーセント低体温です。

なぜなら視床下部で認識されたストレス情報は、視床下部から自律神経系とホルモン系、両方に同時に伝達されていくからです。そのため、副腎が疲れてしまったときには、自律神経のバランスも崩れ、低体温になってしまうのです。

ストレスは、自律神経とホルモン、両方のバランスを同時に乱してしまうということです。

自律神経の乱れは、交感神経過緊張でも副交感神経過緊張でも、結果として低体温と血流障害を招くと説明しましたが、低体温と血流障害は同時に生じるので、「**低体温＝血流障害**」と考えることができます。

ではなぜ、体温が低いと血液の流れが悪くなるのでしょう。

先ほど細胞のダメージ回復について述べたとき、正常な細胞はマイナス七五ミリボルトの電位差を保っているというお話をしました。

細胞がストレスを感じ、この電位差が乱れると、じつは血液のペーハーが低下してくるのです。ペーハーが低下するということは、体が酸性に傾くということです。

健康な人の血液のペーハーは七・三五〜七・四五。中性はペーハー七なので、この数値は弱アルカリ性です。

「体が酸性になる」とよくいわれますが、実際には中性であるペーハー七を下回り酸性になることはありません。人間の体の正常なペーハー値の範囲が〇・一しかないことからもわかるように、非常に微妙なバランスの上に成り立っているのです。糖尿病が悪化したときにアドーシスといわれる状態になり、ペーハーが七・〇台に入ることもあるのですが、それはもう生死をさまようような重篤な状態です。

ですからここでいう「酸性に傾く」というのは、正常値の七・三五を下回るということです。

では、細胞の電位差の変化は、どの程度ペーハーに影響するのでしょう。

驚くべきことに、電位差が五・九ミリボルト低下しただけで、ペーハー値は〇・一下がってしまうのです。

ペーハーが〇・一下がると、細胞そのものの機能が大きく低下するため、エネルギーの供給量も大幅にダウンします。アドリーナル・ファティーグの人が、寝ても休んでも疲れがとれなくなってしまうのは、生命活動を支えている細胞のエネルギーが低下してしまうからなのです。

つまり、低体温は細胞レベルで体を悪くしていくということです。

細胞の電位差を回復させるためには、細胞に糖を送り込まなくてはなりません。しかし、低体温になり電位差が低下して体が酸性化すると、血液がドロドロになるので、血流障害によって細胞に充分な糖とインシュリンを運んであげることができなくなります。

こうして低体温は、回復したくてもできない、それがさらに体を悪化させていくという「負のスパイラル」をつくりだしてしまうのです。**ストレスが低体温をつくりだし、低体温が細胞にとってさらなるストレスになる**ということです。

では、どうすればドロドロ血液をサラサラにすることができるのでしょう。

ドロドロ血液の改善策として、水分の摂取とコレステロールの多い食事を控えることが大事とよくいわれています。もちろんそれらも有効なのですが、じつはもっと大切なのは「体温を上げる」ことなのです。

なぜなら、体温が低いだけで、血液成分に関係なく、血液はドロドロになってしまうからです。

これも先ほどからいっている細胞の電位差と関係しています。

思い出してください。細胞の内側と外側の電位差がマイナス七五ミリボルトということは、細胞の内側はマイナスの電荷、細胞の外側はプラスの電荷ということです。

昔、理科の実験で、磁石と磁石をくっつけるとどうなるかというのをやった経験があるかと思います。磁石のプラスとプラス、マイナスとマイナス、つまり同じ極同士は反発しあう性質をもっていました。そして、磁石の力が強ければ強いほど反発する力は強く、力が弱ければ反発する力も弱くなりました。

電荷でも、これと同じことが起きるのです。

つまり、細胞と細胞の間は、プラスとプラスで反発しあっているということです。

ですから、細胞の電位差が下がってしまうと、磁力が弱くなった状態と同じで、細胞同士の反発する力が弱くなってしまうのです。

血液は、白血球や赤血球などたくさんの細胞成分を含んでいます。そのため電位差が保たれているときは、細胞成分同士が反発しあうのでサラサラとした状態でいられるのですが、電位差が低下し、反発する力が弱まると、細胞成分同士がくっつきやすくなり、血液がドロドロになってしまうのです。

体温を上げること、それが血液をサラサラにするもっとも確実でよい方法なのです。

老化防止には体温を上げるのが一番

私の専門はアンチエイジングです。「アンチエイジング」は、日本語にすると「抗加齢」ですが、実際にはほぼ同じ意味で「抗酸化」という言葉も用いられます。これは、老化の正体が「体の酸化」であることを意味しています。

そんなアンチエイジングの世界で、老化を進める最大級の悪者とされているのが「活性酸素」です。

活性酸素というのは、ごくかんたんにいうと「非常に酸化力の強い酸素」ということです。

人間の体は、この活性酸素の強い酸化力を殺菌に利用しているので、ある程度の量であれば、体にとって有益なものといえます。しかし、その必要なものも、増えすぎてしまうとさまざまな弊害が出てきます。

活性酸素がもたらす弊害については、細胞内の遺伝子を壊し、ガンの原因をつくるなど、一般にもずいぶん知られてきているので、皆さんもご存じだと思います。

では、活性酸素はどうして増えすぎてしまうのでしょう。

交感神経の過緊張により低体温になると、増えすぎた顆粒球が大量の活性酸素をつくりだしてしまうことは、すでにお話ししたとおりです。

しかしじつは、低体温が活性酸素を増やしてしまう要因は、もう一つあるのです。

それは低体温による酵素の不活性が招くものです。

第一章の免疫力について述べたところで、低体温になると酵素の働きが悪くなるとお話ししたのを思い出してください。

人間の体には、増えすぎた活性酸素を解毒(げどく)するために、スーパーオキシドディスムターゼ（SOD）やカタラーゼ（catalase）といった活性酸素を解毒する酵素が備わっています。こうした「抗酸化酵素」がきちんと働くことができれば、少々活性酸素が増えてもきれいに解毒してくれるので、病気になることはありません。

低体温は、その大切な抗酸化酵素の働きを悪くしてしまうのです。

つまり低体温の人は、体内の活性酸素が増えやすいうえ、活性酸素を解毒する酵素の働きが弱い状態にあるということです。

血流障害と酵素活性の低下は、健康を考えるうえで最悪の組み合わせです。

なぜならその状態は、体の機能すべてが低下してしまうからです。体の機能が低下するということは、たんに病気になりやすいということにとどまらず、免疫システムに誤作動が生じ、新陳代謝も低下するということです。「酸化＝老化」と考えられるのもこのためです。

低体温で体にいいことは一つもない。

これは、人間という生きものにとって、いわば自然の摂理なのです。

第4章

低体温を防ぐ 理想の生活習慣

体温アップ健康法が教える理想の一日

　低体温が病気をつくりだすメカニズム、そして、高体温が健康を促進するメカニズムがわかったところで、体温を恒常的に高く保つ理想の生活について考えてみたいと思います。
　では、まず先に、私が考える理想的な一日の過ごし方を大まかなタイムスケジュールでご紹介しましょう。

【理想の一日】

午前五時　起床
　ストレッチ、筋トレの後、戸外をウォーキング、またはジョギング　（三十分間）
午前六時　朝食
午前八時　仕事開始

午後〇時　昼食
　昼食後は十五～二十分程度の昼寝
午後一時　仕事再開
午後五時　終業・退社
午後六時　夕食
午後九時　筋トレと入浴
午後十時　就寝

　いかがでしょうか、朝早くから夜遅くまで働くことの多い現代人には、かなり実現するのがむずかしいタイムスケジュールに感じられたのではないでしょうか。

　かくいう私も、こうした生活を目指していますが、なかなか実現できていないのが実情です。

　私たちの日常生活は、さまざまな事情によって、つねに体にいいことばかりを優先できるわけではありません。ときには体に悪いとわかっていても無理をしなければならないときもあります。

それでも、何が体によくて、何が悪いのか知っておくことはとても大切です。なぜなら、わかっていれば、できるだけ健康的な生活を送れるよう工夫することができるからです。

これはあくまでも「理想」ですが、なぜこうしたタイムスケジュールが体にいいのか、それぞれの注意すべきポイントとともに詳しく見ていきましょう。

自然に目覚めたら、二度寝はするな！

睡眠は、健康を維持するうえでとても重要です。

睡眠に関してはさまざまなレポートや治験データがありますが、どれをとっても健康に寄与する睡眠時間は「最低七時間以上」という結果が出ています。

人間の睡眠は、ノンレム睡眠とレム睡眠が交互に繰り返される、というのはすでに述べたとおりです。このノンレム睡眠からレム睡眠に移り、再びノンレム睡眠になるまでの一サイクルに要する時間は約九十分間。自然な目覚めは、このサイクルごとに訪れるので、**もっとも理想的なのは、睡眠時間七時間から八時間の間で、目覚まし時計を使わずに、自然に目覚めることといえます。**

目覚まし時計をかける必要がある人は、理想は七時間半ですが、九十分のサイクルを考慮して、眠ってから四時間半後、六時間後、七時間半後といった時間に目覚ましが鳴るようにセットすると、比較的すっきりとした目覚めが得られます。

第三章でも述べましたが、規則正しい生活をすることは自律神経を整えることにつながるので、理想は毎日七時間～八時間程度の睡眠をとることです。でも、どうしてもふだん七時間以上の睡眠時間が確保できないという人は、土日など休日に充分な睡眠時間をとるようにしてください。このときは、目覚まし時計をセットせず、体が要求するだけ寝ます。体が欲するなら、九時間でも十時間でも寝てかまいません。

ただし、一度自然に目が覚めたのに、そのままごろごろしているうちにまた眠ってしまう「二度寝」はしないように気をつけてください。

二度寝は体によくありません。

まとまった睡眠が取りにくいという人は、二度寝をするのではなく、一度きちんと起きてから、午後に昼寝をすることをお勧めします。

スペインやポルトガルには「シエスタ」と呼ばれる昼寝が生活習慣として定着していますが、昼食後の昼寝は、食事によって優位になった副交感神経を刺激するので、ハードな日常で交感神経過緊張になっている人の多い日本人には、ぴったりの健康法です。

電球をつけたまま寝てはいけない

もう一つ、眠るときに絶対にやめてほしいのが、明かりをつけたまま眠ることです。

私の患者さんに、四十代の若さで心筋梗塞（こうそく）を起こしてしまった人がいるのですが、会計士だったその人はもともと仕事が忙しかったこともあって、暗くすると起きられないからと、部屋の照明をつけたまま寝ていたのです。

これは体、とくに脳にとって大変悪いことなので、絶対にしないでください。

人間の脳は、目をつぶっていても目の奥にある網膜というところで光を感知しています。そして、この網膜が光を感知しなくなることによって、脳の松果体（しょうかたい）というところから睡眠を促す「メラトニン」というホルモンが出るのです。

そのため明るいところで寝ると、網膜が光を感知してしまうので、メラトニンが分泌されず、睡眠の質が落ちてしまうのです。これは、大変なストレスです。

メラトニンは体にいまが活動すべき昼なのか、休むべき夜なのかを知らせ、体内リズムを整えるという重要な作用をもったホルモンとして知られていますが、じつはもう一つ、とても重要な働きをもっています。

それは、脳と精子における抗酸化作用です。わかりやすくいえば、日々、質のいい睡眠をとることで、脳の錆びと、男性の場合は精子の質の劣化が防がれているのです。

ですから、夜電気をつけたまま寝ていた会計士の人が心筋梗塞を起こしてしまったのも、もちろん睡眠の質の低下によるストレスが直接的には影響していますが、メラトニンの不足による脳の酸化も原因の一つだったと考えられるのです。

網膜はとても小さな光も感知するので、夜は真っ暗な環境で寝ることが大切です。**小さいお子さんなどがいると、怖がるからと小玉電球をつけたままにしている人もいますが、小玉電球でもメラトニンの分泌は抑えられてしまうので、子どもが眠ったら必ず消すようにしてください。**

最近、若い男性の精子活性が低下してきているのも、不規則な生活による睡眠の質の低下が原因の一つとなっているのではないかと私は危惧しています。

睡眠の質を高めることは、自分の健康を守るだけでなく、次世代の生命を育むためにも大切なことなのです。

人間の体にとって一番いいのは、自律神経のリズムに合わせて日中活動し、夜に睡眠をとるという生活です。しかし、仕事の都合上どうしても昼間に睡眠をとらなければならない人もいます。そういう方は、雨戸を閉めたり、遮光のカーテンを使ったりするなどして、できるかぎり室内を暗くしましょう。それでも光が漏れるようならアイマスクを使い、できるだけ網膜に光が届かない工夫をして眠るようにしてください。

部屋を暗くして寝ることに加え、もう一つ、寝るときに必ず守っていただきたいとても大切なことがあります。

それは、きちんと体を横たえて眠るということです。

忙しい人の中には、車や電車、飛行機の中など移動時間が睡眠時間になっているという人がたまにいますが、体をきちんと横たえて眠らないと、深刻な病気の原因にもなりかねません。

なぜなら、睡眠には脳を休ませるということのほかに、「体を重力から解放する」という重要な目的があるからです。

私たち人間は、起きている間は、立っているにしろ座っているにしろ、つねに重力に逆らっています。そのため、その間は体を支える背骨にかなりの負担がかかっています。睡眠は、そうした骨への負担を取り除く時間でもあるのです。

骨は、たんに体を支えるだけのものではありません。骨の中心部にある骨髄では、血液がつくられているのです。そのため、きちんとした体勢で充分な睡眠をとれない生活を長く続けてしまうと、そのストレスから骨髄の病気を発症しやすくなってしまうのです。

原因不明といわれている骨髄性白血病や、慢性骨髄性白血病、再生不良性貧血など、骨髄に問題が発生することによって起きる病気を発症した人の多くは、慢性的な睡眠不足を抱えていた人です。

白血病は、俳優の夏目雅子さんや渡辺謙さん、歌舞伎の市川團十郎さん、歌手の本田美奈子さんなど芸能人に多く見られますが、これもハードなスケジュールによる睡眠不足が大きな原因となっているといえるでしょう。

また、血液を生産する骨髄は、免疫物質の生産工場ともいえる大切な場所です。睡眠不足だと風邪をひきやすくなりますが、これは免疫力が低下するからです。

睡眠薬の服用は、睡眠障害を悪化させるだけ

低体温は、睡眠の質を低下させます。そのため、低体温の人の中には、睡眠に関する悩みを抱えていらっしゃる方がたくさんいます。

生理的な睡眠に何らかの障害が起きている状態を「睡眠障害」といいますが、この睡眠障害にもさまざまなタイプがあります。

まず、ふとんに入ってもなかなか寝つけない「入眠障害」。寝つきはそれほど悪くないのだけれど、尿意もないのに夜中に何度も目が覚めてしまう「中途覚醒」。そして、お年寄りに多い、朝早くに目が覚めてしまう「早朝覚醒」です。

じつは、睡眠障害は自律神経の過緊張が原因で起きるのですが、副交感神経過剰型と、交感神経過剰型では、現れる病態に違いがあります。

交感神経過緊張の方に現れやすいのは、「中途覚醒」と「早朝覚醒」です。

睡眠は、本来「副交感神経優位」の状態で行われます。そのため交感神経が過剰に緊張していると、深い睡眠に入ることができず、些細なことで目が覚めてしまいます。

原因としては、働きすぎや精神的ストレスのほかに、薬剤性の交感神経過緊張があげられます。なかでもとくに注意してほしいのが、薬剤性ストレスです。

中途覚醒や早朝覚醒があると、ゆっくり眠りたいという気持ちから「睡眠薬」の服用を医師に希望される方が多いのですが、これは逆効果です。

糖尿病や高血圧症などでふだんから薬を常用している人は、こうした薬剤性の不眠症になりやすく、睡眠薬もはじめのころは効果があるのですが、長い目で見ると交感神経を刺激してしまうので、常用することによってさらに重い睡眠障害を招く結果になってしまいます。

もう一つの「入眠障害」は、副交感神経の過緊張によって起こります。

こちらの原因は二つ。一つは運動不足で、もう一つは昼寝のしすぎです。

入眠障害の場合は、睡眠導入剤や抗不安薬を服用する人が多いのですが、これらは交感神経を刺激するので、常用すると今度は中途覚醒や早朝覚醒に悩まされるようになり、睡眠の質を改善することはできません。

では、どうすればいいのでしょう。

入眠障害の人は比較的かんたんです。まず、日中にしっかり体を動かすこと。そして、眠くなっても昼寝を我慢することです。どうしても眠くてたまらない人は昼寝をしてもかまいませんが、長く眠らず十五分程度の仮眠にとどめておきましょう。

この二つを実践すれば、ほとんどの入眠障害は改善されます。

熟睡したければ、寝る前に体を温めなさい

交感神経過緊張からくる睡眠障害を解消するもっともよい方法はストレスを取り除くことですが、実際にはかなり思い切った生活改善が必要です。また、薬剤性の場合も、持病の薬をやめることはなかなかできません。

どちらの場合も実践はむずかしいので、交感神経過緊張による睡眠障害を改善するには、少し時間はかかりますが、副交感神経を刺激することを行い、少しずつでも副

交感神経を鍛えていくしかありません。

具体的な方法としては、軽いストレッチや呼吸法やヨガで副交感神経を刺激し、**さらに寝る前にゆっくりとお風呂に入り、体温を上げてから寝ることがお勧めです。**

さらに、交感神経過緊張タイプの人の場合は、睡眠の実質的な時間を増やすことも大切です。眠っている間は副交感神経が優位に働くので、睡眠時間を増やすことが、交感神経の過緊張を和らげることにつながるからです。

体温が上がると体は眠りに入りやすくなるので、就寝前のお風呂は、交感神経・副交感神経、どちらのタイプの不眠症にもお勧めです。**体を温めるためには、水を少し温めた白湯（さゆ）を飲むのもよい方法です。**

子どものころ、眠れないと温かいミルクを飲むといいといわれたことのある人もいると思いますが、寝る直前にカロリーのあるものを摂るのはよくありません。体が中から温まれば、効果は同じなので、胃腸に負担のかからない白湯を飲むことをお勧めします。

交感神経タイプ、副交感神経タイプ、いずれのタイプの睡眠障害も、薬に頼っているかぎりは根本的な改善には至りません。

アメリカでは、睡眠障害には薬ではなくサプリメントの「メラトニン」が処方されます。

健康な人でも高齢になると、朝早く目が覚めるという人が多くなりますが、これは加齢に伴ってメラトニンの分泌が減少していくのが原因です。

メラトニンは、残念ながら日本ではサプリメントとして販売されていませんが、アメリカやヨーロッパでは植物由来のメラトニンが広く普及しています。

メラトニンは、唯一、生殖期の女性に対しては排卵がしにくくなるという副作用が報告されていますが、それを除けば、一生飲みつづけても何の害もないといわれている非常に安全性の高いサプリメントです。

アメリカでは、メラトニンはどこのドラッグストアでも手に入りますし、値段も一か月分で五ドル程度と安いので、私も海外出張で時差ボケを起こしたときにはよく飲みます。

海外に行く機会のある人は、一度試してみてはいかがでしょうか。

時差ボケを防ぎたければ、機内食は食べるな！

ふだん快眠の人ほど、海外に行くと時差ボケで体調を崩すことが多いようです。これは、長距離を短時間で移動した結果、体内リズムと昼夜のリズムとの間に落差が生じてしまうからです。

私もよく海外へ行くので、時差ボケには苦しめられます。そういうとき私は、サプリメントでメラトニンを摂って体内リズムの調整をするのですが、なにもそんな特別なものを飲まなくても、あることを我慢するだけで時差ボケにならないという、とても興味深い論文が最近発表されました。

それは、「睡眠欲と食欲」をテーマにしているハーバード大学の研究グループが発表した論文です。

それによれば、**人間は十四時間食事をしないでいると、眠りたいという「睡眠欲」より、食べたいという「食欲」のほうが勝ってしまう**のだそうです。そして、その食欲が勝ったところで食事をすると、体内時計がそこでリセットされるといいます。

この性質を利用すると、時差ボケをかんたんに解消することができそうです。どうするのかというと、たとえば、日本からアメリカへ行く場合、直行便でも約十一時間かかります。そこで、その間、機内食を一切食べずに過ごします。このときは眠ってしまっても起きていても、食事さえしなければどちらでもかまいません。十四時間何も食べないでいるのには、少々我慢が必要ですが、時差ボケを防ぎたければ、機内食を食べないことです。

そして、アメリカについてから、そう、ちょうど日本をたってから十四時間経過したころを見計らって食事をすると、そこで睡眠のスイッチがリセットされるので、時差ボケを起こさないで済む、ということなのです。

ただ、飛行機を降りてからすぐに食事をするためには、目的地に着くのは午前中が理想です。もしも着くのが夜になった場合は、食べてすぐに寝るのは体に毒なので、空腹のまま寝てください。そして翌朝食事をすれば、そこで第二の体内時計がリセットされるので、時差ボケを防ぐことができます。

少々つらいかもしれませんが、プチ断食だと思えば、胃腸を休めるよい機会になるので、思い切ってやってみてください。

夜十時に寝て、朝五時に起きる生活がベスト

「理想の一日」で、起床時間を午前五時に設定したのは、この時間が副交感神経支配から交感神経支配に体が切り替わるターニングポイントだからです。

私たち人間の体内リズムは、人類の長い歴史の中で培われてきたものです。

朝日が昇ると活動しはじめ、日が沈むと体を休める。人類はそんな太陽に合わせた生活を何百万年も行ってきました。それに対し、現在のように夜でも明るい環境を人間がつくりだしたのは、せいぜいここ百数十年のことです。体内リズムが、そんな最近の変化に対応しきれるはずがありません。ですから、夜中の二時、三時まで明かりをつけて仕事をするような生活をしてしまうと、体内リズムに障害が起きるのは、ある意味、当然の結果なのです。

多くの人は、昼夜が逆転しても、きちんと睡眠時間さえとれていれば問題ないと思っていますが、それは違います。

実際、昼夜逆転した生活を送り、日中に充分な睡眠をとっていた人と、きちんと日

中仕事をして夜充分な睡眠をとっている人を比べたところ、ガンの発生率は、昼夜逆転生活をしている人のほうが三〇％も高いという疫学的データが出ています。

朝五時に起きるのがよく、睡眠時間は七時間以上ということが決まれば、就寝時間はおのずと決まってきます。「理想の一日」の就寝時間を夜の十時としたのも、起床五時からの逆算によって導き出したものです。九十分という睡眠のサイクルを考えると、本当は九時半にしたいところです。後に詳しく述べますが、夕食後から寝るまでの間は四時間空けていただきたいので、今回は十時に設定しました。

よく、日付の変わる前に寝なさい、つまり深夜〇時までに寝なさいといいますが、医学的な文献を見ると、ほとんどのデータが推奨しているのは、遅くとも夜十一時までに眠るということです。

体内リズムと自律神経の支配は連動しているので、就寝と起床は毎日同じ時間に規則正しく行われるのが理想です。昼夜逆転もよくありませんが、不規則な生活もリズムを乱すのでよくありません。

とはいえ、お年寄りや子どもはともかく、毎日同じ時間に就寝・起床をするのはむずかしいことだと思います。私も仕事の都合や、友だちと遊びに行ったときなど深夜まで起きていることはよくあります。

ですから、現実問題として私がお勧めしているのは、起床時間を一定にすることです。多少睡眠時間が短くなることがあっても、それは休日に目覚ましをかけないで眠ることで調整できます。

平日は必ず五時に起きて運動をする。最初はつらくても、習慣化してしまえばつらいどころか、体内リズムが整うことにより体調がよくなるメリットが実感できます。

私もニューヨークに住んでいたときは、周囲のエグゼクティブが皆五時起きだったこともあり、朝五時に起きて運動してから仕事に行くという生活をしていましたが、とても体調がよかったことを覚えています。

もちろん毎日充分な睡眠をとりながら朝五時に起きるのが理想ですが、まずは、一日のリズムの起点をつくることから始めていただきたいと思います。それに、毎朝五時に起きていると、夜は自然と早く眠たくなるので、早寝早起きという、本来人間の体に備わっている自然のリズムに近い状態がつくられていきます。

飲みものは水を温めた白湯が一番いい

朝、目覚めて私が最初にするのは、水を五〇〇ミリリットル飲むことです。寝ている間に体は発汗などで多くの水分を失っています。また、目が覚めると排尿によって老廃物とともに水分が失われるので、充分な水分摂取が必要です。

体は私たちがふだん感じている以上に、良質な水を必要としています。一日最低でも一・五～二リットル程度の水分は摂るようにしてください。

ただし、水を飲むうえで気をつけてほしいのが、夏でも冷たい水は飲まないということです。

冷たいものを飲むと体温は急速に低下してしまいます。とくに朝は、一日の中でもっとも体温が低い状態なので、そこに冷たい水を入れてしまうと、体温が下がりすぎてしまいます。体温を下げないために、朝はもちろん、ふだんから水は常温のものを飲むようにしてください。

体を中から温めることがどれほど大切か、そのことを私が痛感したのは、いまから十年ほど前、アメリカで救急医療の現場にいたときのことです。

冬のある寒い雪の日のことでした。意識不明の患者さんが救急病棟に運ばれてきました。

調べてみると、体温は三四度八分しかありません。偶発性低体温症というきわめて危険な状態でした。

他のドクターたちは回復の見込みはないと判断しましたが、かろうじて心臓が動いていたので、私はあきらめずに、体の中から温めるという処置を行うことにしました。

たまにドラマなどで、冬山で遭難し、低体温になって意識がなくなった人を温めるというシーンがありますが、実際には、体温が三五度を下回ったら、外側から温めても回復の望みはほとんどないのです。

急激に体温が低下したときには、血管中に血栓ができてしまっている場合も多く、そんなときに外側から温めてしまうと、血栓が飛んで命に関わる危険があります。

ではどうすればいいかというと、胃洗浄をするときのように鼻から胃までチューブを入れ、ぬるめの生理食塩水を流し込んで、少しずつ内側から温めていくのです。

このような状態で命を取り留めた報告は、当時の日本では七、八例しかありませんでしたが、私はかすかな希望を頼りに治療を続けました。

するとどうでしょう。治療を始めて二日目、患者さんが急に起き上がったのです。

私があらためて、体の内側から温めることの大切さを知った瞬間でした。

この人の場合も、体を外側から温めていたら、恐らく助からなかったでしょう。

このようなことは特異なケースのように思われるかもしれませんが、そうではありません。ふだんから体を内側から温めることは、生命に本来の活力を与える大切なことなのです。

ですから、できるだけ冷たいものは飲まず、温かいものを飲むようふだんから心がけていただきたいと思います。**温かい飲みものの中でもとくにお勧めなのが白湯です。**不純物が入っていない白湯は、水以上に体に優しい飲みものといえます。

また、朝はコーヒーを飲むと決めている、という人もいますが、コーヒーやお茶などカフェインを多く含む飲みものは、水分を摂っているように見えても、最終的には体を脱水させてしまうので水分補給にはなりません。

コーヒーを飲んでもかまいませんが、そのときは先に良質な水で充分な水分摂取をしてから飲むようにしてください。

雨の日も風の日も毎朝三十分、外を歩きなさい

朝、水分補給をしたら、朝食の前に運動をするのが理想です。

運動といってもジョギングかウォーキング程度の、軽い有酸素運動を三十分ほど行えば充分です。

ここでのポイントは、朝のウォーキングを習慣化していただきたいということです。雨の日も風の日も、できるかぎり毎日三十分間ウォーキングを行ってください。

朝は一日の中でももっとも体温が低い時間帯です。そのときに三十分間ウォーキングすると、個人差はありますが、だいたい〇・七〜一・〇度、体温が上昇します。こうして冷えた体を交感神経の高まりとともに、一気に高めておくと、その日一日の体調がとてもよくなります。

さらに、三十分間有酸素運動をすると、それだけで毎日八グラムの内臓脂肪を減らすことができるので、体重の維持管理にも大きく役立ちます。

ダイエットをしたいという人は、ウォーキングの前に三分から五分程度で充分なの

で、筋トレをするとさらに効果的です。この場合の筋トレは、毎日行うわけではありません。三日に一度程度で、充分な効果があります。

組み合わせる筋トレは何でもかまいません。腹筋でも腕立て伏せでもスクワットでも、自分の体調に合わせて行ってください。ウォーキングの前に二〇メートルダッシュを一本走るだけでも確実に効果があります。

ただし、筋トレをする場合は、ふだんより念入りにストレッチを行ってください。神経の経路を鍛えるためには、全身の力を振り絞って筋トレをするのが望ましいのですが、朝は体が硬くなっているので、ストレッチで関節の可動域を充分に広げておかないとけがをしてしまいます。

ストレッチでお勧めなのは、体中の筋を伸ばす運動と、関節を回して可動域を広げる運動です。

大リーグで活躍しているイチロー選手は、ちょっとした時間の合間に、ストレッチをしている姿が見られます。前に伸ばした片方の腕の肘(ひじ)の辺りにもう片方の腕を添えて伸ばす運動や、足を肩幅より少し開いて立ち、両膝(ひざ)に手を置き、腰を落とした体勢で体をねじり、肩を前に入れる運動など、彼のストレッチの多くは、関節の可動域を広げる運動です。ああいう地道なストレッチをつねに行っていることが、イチロー選手にけがが少ない理由といえるでしょう。

ウォーキングは散歩のようなものなので、ついつい準備運動もせずに動き出してしまう人が多いのですが、ストレッチだけは必ず行ってください。

歩くときは、背筋を伸ばし、肛門を引き締めるような意識をもって、スッスッと、リズミカルに歩きましょう。だらだらと歩いていたのでは、効果は半減です。

肛門を意識するというのは、じつはとても大切なことです。

ある一定の年齢になると、男性も女性も肛門の周りの筋肉「括約筋（かつやくきん）」が衰えてきます。この筋肉が弱くなると、オナラのつもりが糞便（ふんべん）が出てしまったり、女性だと尿失禁に悩まされることになります。

歩くときに肛門を意識的に引き締めることは、括約筋のとてもよいトレーニングになるので、続けていると、朝のウォーキングだけでも、尿失禁などの改善につながります。

若い人でも、括約筋をトレーニングすることは、ヒップアップにつながるので、ぜひ実践してください。

背筋を伸ばしておしりと腹筋を引き締める。昔は、こうした「正しい姿勢」を意識してつくりなさい、ということがよくいわれました。

私は小さいころから父の勧めで囲碁をやっていましたが、そこでも背筋を伸ばした正しい姿勢で打ちなさいということをきつく指導されました。こうしたことは囲碁にかぎらず、茶道や華道などはもちろん、昔は日常的にも書道や読書、食事をするときに教えられていました。ある一定以上の年齢の方だと、子ども時代に「姿勢が悪い！」と親に怒られて、竹の物差しを背中に入れられた経験のある方は多いと思います。

子どものころは嫌でしたが、正しい姿勢を維持することの大切さを知ったいまは、厳しく躾けられたことを親に感謝しています。

最近では、子どもの姿勢ということが厳しくいわれなくなってしまいました。その結果、猫背や脊椎側湾症という背骨の歪んだ子どもが増えてきてしまっています。

睡眠のところでもお話ししましたが、背骨は私たちの血液や免疫物質をつくってくれているとても大切な場所です。

正しい姿勢は体だけでなく、健康も支えているということを、多くの方に知っていただきたいと思います。

『上を向いて歩こう』が世界中でヒットした理由

姿勢を正すメリットは、身体面だけではなく精神面にも及びます。

私たちは、背筋を伸ばすと、自然と気持ちが引き締まり、物事に前向きに対処できるようになります。こうしたマインド面への影響は、その人が実社会でパフォーマンスを発揮していくうえでとても重要です。

私たちの精神状態は、日々移り変わります。いいときもあれば悪いときもある。それは人間ですから、ある程度はしかたのないことです。

しかし、社会では一人のプロとして、一定レベル以上のパフォーマンスがつねに要求されます。そのため、一流といわれる人は皆、自分のマインドをよい状態にコントロールするための努力をしています。

たとえば、イチロー選手は、バッターボックスに入るといつも決まった動作をします。バットをもった腕を真っ直ぐ前に伸ばし、もう一方の腕で少し袖(そで)を上にずらしながら、目線は一点を見つめる。あの動作をすることで、彼は精神を統一し、打つための心と体の準備を整えているのです。

こうしたマインドを整えるための一連の動作を「プレショットルーティーン」といいます。これは多くのプロスポーツプレイヤーが、それぞれオリジナルのものをもっています。

こうしたプレショットルーティーンの精度を高めるコツは、ふだんの練習のときから行うことです。どんなときも毎回それをすることによって、いざというとき、どんなにストレスやプレッシャーがあっても、その動作をすることでいつもどおりの力を発揮することができるようになるからです。

私が、毎朝のウォーキングを習慣化してほしいと申し上げるのも、身体的なメリットはもちろんですが、毎日続けることによって、朝のウォーキングがあなたのプレショットルーティーンになるからなのです。

調子がいいときも悪いときも、いいことがあったときもつらいときも、毎朝背筋を伸ばしてリズミカルに歩くことで、自分の気持ちを前向きなものに整えるのです。

人は嫌なことやつらいことがあると、自然と肩が落ち、前かがみになり、目線が下がります。そして、いいことや嬉しいことがあると、胸を張り、目線は上に行きます。

こうした姿勢と感情の関係は、世界共通です。

故・坂本九さんの名曲に『上を向いて歩こう』という歌がありますが、あの歌が世界中でヒットしたのは、そうした人間の行動に関する真理を突いていたからです。

心や感情は、日々の出来事に大きく左右され、一定ではいられませんが、姿勢は自分の意志でどんなときも整えることができます。

低体温はおもにストレスによってもたらされた結果ですが、その結果を日々の努力で変えることで、ストレスに強い健康な体に変えていくことができます。同じように心も、心の反映である姿勢を前向きなものに変えていくことで、気持ちを前向きな状態に整えることができるのです。

毎日よい姿勢でウォーキングを行うことには、心を強くしていく効果もあるのです。

このとき、明確な意識をもって「こうして歩けば自分はベストのコンディションで一日を過ごすことができる」と思って行うと、効果はさらに大きなものとなります。

ぜひ、毎日のウォーキングを、あなたにとってのプレショットルーティーンにしていただきたいと思います。

りんごとにんじんを入れた生ジュースを毎朝飲む

ウォーキングが終わったら、朝食をとります。

朝食のメニューは、これでなければならないということはありませんが、できるだけ新鮮なフルーツと野菜を摂っていただきたいと思います。

ただ、とくに独身男性などは朝から果物をむいたり、野菜サラダをつくったりするのは面倒くさくてなかなか長続きしません。そこで、私がお勧めしているのは、果物と野菜のミックスジュースです。

野菜も果物も、そのとき手に入るフレッシュなものなら何でも結構です。

種類は多いほうがよいので、いろいろな野菜を一五～二〇種類ぐらいまとめて買っておいて、飲む直前にジューサーでつくります。

これならかんたんなので、無精者の私でも毎朝実践できています。料理の心得のない男性でもかんたんにつくることができます。

入れるのは緑黄色野菜を中心に、きれいに洗い、皮もむかずに入れます。ほうれん草のようなアクのあるものでも、少量ならそのまま生で入れても大丈夫です。

果物も野菜も、フレッシュなものであることに越したことはありませんが、値段が高い時期や、忙しくて買い物に行けないときなどは、冷凍のものを使ってもかまいません。**大切なのは、毎日続けることです。**

ただ、毎日必ず入れてほしいものもあります。

それは「りんご」と「にんじん」です。

りんごは半個、にんじんは小さいものなら一本、大きなものなら半本程度入れてください。

りんごとにんじんは、他の野菜と相性がいいので、この二つが少し多めに入っていると、だいたいあとはどんな野菜が入ってもおいしく飲むことができます。

りんごとにんじんをお勧めする理由は、味だけではありません。**りんごとにんじんという組み合わせは、じつはアンチエイジングの世界では、高いデトックス効果と免疫力を高める効果があることで、注目を浴びている組み合わせなのです。**

実際、スイスで難病治療を行っているベンナー病院では、食事療法の中心に毎朝のにんじん&りんごジュースを掲げて、治療実績を上げているといいます。

また、聖路加国際病院（東京）の日野原重明先生も、毎朝手づくりの生ジュースを飲む習慣を三十年以上続けておられ、それが長寿の秘訣だとおっしゃっていますが、そのレシピにもにんじんとりんごが含まれています。

これらの組み合わせが免疫力を高めるのは、恐らく腸内細菌のバランスを整えるからだと考えられます。とくに小腸には免疫に関わる細胞があるので、腸内バランスが整うことによって、その細胞が活性化し、結果的に免疫力が高まるのだと思います。

私の場合は、エネルギーの過剰摂取をすると体調によくないので、朝食はこのジュースを二〇〇〜三〇〇ミリリットル程度飲むだけです。ダイエットをなさっている方も、朝食をこのジュースにすると、胃腸が休まるうえ、デトックス効果も高まるのでダイエット効果によい影響が表れます。

もし、ジュースだけではお腹が空いて我慢できないという人は、ジュースを飲んだあと、軽めの食事をとってもいいでしょう。

食事をとるときに注意していただきたいのは、時間をかけてよく嚙（か）んで食べることです。

食事は本来、副交感神経を刺激するものですが、交感神経過緊張タイプの人は、仕事が忙しい人が多いこともあり、食事に時間をかけない人がとても多いのです。

なかにはおにぎりを、仕事をしながらかじって、食事は五分で終わりという人がいますが、まさに最悪の食習慣です。

食事は最低でも一口三〇回は嚙んで、時間も三十分ぐらいはかけるようにしてください。これは昼食でも夕食でも同じです。よく嚙むことは胃腸への負担を減らすことにもつながるので、健康維持に大きく貢献します。

夕食後四時間空けなければ寝てはいけない

日本の食卓は、ここ三十年で大きく様変わりしました。

豊かになったのはよいことですが、朝・昼・晩と三食出されたものをすべて食べ切っていたら、メタボリック・シンドロームや糖尿病のリスクが高まってしまうというのが現実です。そういう意味では、一日のうちの朝か夜、どちらか一食を先ほどお話しした生ジュースにするというのは、健康を維持するうえで効果的な方法といえます。ちなみに私の場合は、朝は生ジュースだけ、あとは早めの夕食を普通にとるという一日二食です。

食事についてもっとも気をつけていただきたいのは、**夜寝る前の四時間は何も食べないようにしていただくということです。なぜなら、胃にものが残っているような状態で寝てしまうと、成長ホルモンが出なくなってしまうからです。**

成長ホルモンは、運動、とくに筋肉トレーニングをすると分泌されるとお話ししましたが、じつは毎日出る時間帯があるのです。それは、就寝後三十分です。

昔から寝る子は育つといいますが、実際、よく眠る子どもはそれだけ成長ホルモンの分泌が高まるので、骨や筋肉の成長がよくなるのです。

この睡眠中の成長ホルモンがきちんと出るためには、一つの条件があります。それが「空腹」なのです。

成長ホルモンには、脂肪を分解する働きがあることはすでに述べたとおりですが、寝ている間に成長ホルモンが出ると、この「脂肪分解」が促進され、脂肪が燃焼されやすい状態、つまりやせやすい状態になります。こうした働きを「カタボリズム（異化作用）」といいます。

寝ている間にしっかり成長ホルモンが分泌され、脂肪が分解されていれば、朝のウォーキング（有酸素運動）で分解されていた脂肪がエネルギーとして燃焼されます。

ところが、胃にものが残っている状態、つまり食後四時間以内に寝てしまうと、出るはずの成長ホルモンが出なくなってしまうのです。

成長ホルモンが出ないと、食べたもののエネルギーは分解されるどころか、中性脂肪として体内に蓄積されてしまいます。こうした働きを「アナボリズム（同化作用）」といいます。

図式化すると次のようになります。

空腹で寝る↓成長ホルモン分泌↓カタボリズム↓脂肪分解↓やせる

満腹で寝る↓成長ホルモン不出↓アナボリズム↓中性脂肪増加↓太る

胃にものが残ったまま寝ると、翌朝せっかく有酸素運動をしても、脂肪の分解から始めなければならないので、脂肪の燃焼率はぐっと低くなってしまいます。つまり、運動効率が低下してしまうというわけです。

ですから、必ず夕食後四時間以上経って、空腹状態になってから寝るようにしてください。

「理想の一日」では、起床時間から逆算して、就寝時間を夜の十時と決めました。そこからまた四時間空けるとなると、夕食は六時には終わっていないといけないということになります。

これは一般のサラリーマンにはなかなか厳しいスケジュールです。通勤時間が一時間近くかかる人も都心では珍しくありません。そういう方は五時に仕事を切り上げても、夜自宅に着くともう六時を回ってしまいます。

仕事が終わった時点で夕食を済ませ、それから帰宅するという方法もありますが、毎日外食やお弁当にするのも大変なので、夕食を生ジュースにするというのもよい方法です。生ジュースなら、消化するまでに四時間もかからないので、飲んでから二時間ぐらい経てば、空腹状態で休むことができます。

どんな方法でもかまわないので、夜寝るときは、空腹状態で寝るのが健康のためにはよいのだということだけは、しっかり頭に入れておいてください。

成長期の子どもにはトマトを食べさせなさい

ダイエットに話が行くと、いかにして余分なカロリーを減らすかということが問題になるので、どうしても「食事を減らす」ことばかりに意識が行ってしまいがちです。でも、私たちの体をつくっているのは日々の食事なので、その質を高めることはとても大切です。

アメリカでは、その質を補うものとしてサプリメントが広く活用されていますが、そのサプリメントも原料は食品です。

食べものの知識をもってバランスのよい食事をすれば、サプリメントに頼らなくても、食事の質を向上させ、健康に役立てることができます。

私自身、食べものに関してはとてもおもしろい経験があるので、ここではそれをご紹介しましょう。

じつは私は、小さいころからずっと「反抗期」がないまま、この年まで成長してきてしまっているのです。そして、それはトマトのせい（おかげ？）だと思っているのです。

私は子どものころ、毎日大量のトマトを食べて育ちました。

別にトマトが好きだったわけではありません。母の実家からトマトが大量に送られてきていたのです。あるから食べる、私が食べると祖母が喜んでまた送ってくる。そんなことを繰り返して、わが家にはいつもトマトがたくさんあったのです。

ところが、これは祖母が亡くなって、家にトマトが届かなくなって初めて気づいたのですが、トマトを毎日食べていると、気持ちがとても落ち着いて、怒ったりイライラしたりするということがまったくなかったのです。おかげで私は、親に反抗することなく成長したというわけです。

このトマトの謎が解けたのは、私が医師になってからでした。

医師になっていろいろ勉強する過程で、トマトには「ギャバ」というストレスを緩和させる成分がとても多く含まれていることを知ったのです。

最近は、ストレス緩和を謳(うた)ったギャバ入りチョコレートなどが市販されているので、ギャバにストレス緩和の効果があることはよく知られていますが、当時は祖母も両親もそんなことは知りません。本当に偶然の賜(たまもの)だったのです。

ギャバには、ストレス緩和のほかにも成長ホルモンの分泌を促す効果もあるので、アンチエイジングの面からもトマトはお勧めの食品です。

トマトのおかげで、私は身長も伸び、中学一年生まではクラスでもトップの身長を誇っていました。でも、残念なことに、トマトの供給が止まったのを境に、私の身長の伸びも悪くなり、そのまま身長は伸び悩んでしまいました。あのままトマトを食べていればと思うと、その点だけは残念です。

ちなみに、ギャバ入りチョコレートはヒット商品のようですが、私はその効果は気休めだと思っています。なぜなら、チョコレートに含まれるティラミンという成分はストレス緩和とは逆の働き、つまり交感神経を興奮させてしまう食品だからです。含まれているギャバに効果はあるのでしょうが、いっしょに摂るチョコレートで効果は相殺というところだと思います。

成長期なのに受験でストレスを抱えているお子さんには、ギャバ入りチョコレートではなく、ぜひトマトをふんだんに食べさせてあげてください。

ちなみに余談ですが、多くのイタリア人の性格が陽気なのも、このトマトの多い食生活が影響していると私は考えています。

世界最大のトマト消費国であるイタリアの食文化には、トマトは欠かせない食材です。モッツァレラチーズにトマト、パスタにもトマト、サラダにもトマト、サンドイッチにもトマト――。イタリアの食卓にトマトが並ばない日はないといってもいいくらいです。

もちろんラテン系という国民性もあると思いますが、子どもからお年寄りまで、イタリアの人たちのいつも陽気でいられるメンタルコンディションを支えているのは、ギャバを豊富に含むトマトなのかもしれません。

妻や夫がイライラして困っているという方は、ぜひ食卓にトマトが上るようにしてみてください。

意外なものが体にいいということでは、じつは「メタボの人が肉食をゼロにしてしまうのは、かえってよくない」ということもわかっています。

日本ではメタボリック・シンドロームはたんなる中年太りだと思われているので、脂肪分の多い肉食は極力控えるように指導されます。しかし、すでに述べたように、男性のメタボリック・シンドロームには男性更年期障害が大きく関わっています。そのため、肉食をゼロにしてしまうと、男性ホルモンがさらに低下してしまうので逆効果になってしまうのです。

男性ホルモン「テストステロン」の原料は筋肉です。そのため、男性更年期障害を予防する意味で、最近のアメリカでは、なんと一日一〇〇グラムの肉を摂ることが推奨されているのです。

もちろん、だからといってメタボの人が無制限に肉食をしていいというわけではありません。

あまりに食べすぎて、運動不足のメタボの状態では、肉食はカロリーが高いので、やはり控えなければなりません。

まずは、たまりすぎた内臓脂肪を減らすことが先決です。

男性ホルモンの分泌につながる肉食が勧められるのは、無酸素運動と有酸素運動の組み合わせの運動を習慣化して、内臓脂肪をある程度減らすことができてからのことです。

でも、そうして内臓脂肪を減らしてから、ある程度の運動をしながら適量の脂肪を摂取していくことは、テストステロンの分泌を促すので、メタボリック・シンドロームの再発を防ぐことにつながるのです。

お風呂の温度は必ず四一度に設定する

皆さんはお風呂にはいつ入っているでしょうか。

「理想の一日」では夜寝る前に入浴を設定しましたが、それは、体を温めた状態で寝ると睡眠中の成長ホルモンの分泌がよくなるからです。

睡眠中の成長ホルモンを最大限に引き出したいという人は、お風呂に入る前に五分程度の筋トレをすると、さらに効果的です。

筋トレとお風呂と睡眠、三段階で成長ホルモンの分泌が促される、最高の方法です。でも、ここでの最大の目的は、一日一回、お風呂に入って体温を一度上げるということなので、入浴の時間帯は朝でも夜でもどちらでも結構です。自分の生活のリズムに合わせて、都合のよい時間帯に入ってください。

お風呂は湯船に十分程度浸かれば、だいたい体温が一度くらい上がるので、長湯をする必要はありません。それよりも大切なのは、毎日お風呂に入り、一日一回、体温を一度上げるということを習慣化することです。

ただし、とくに日本人は熱いお風呂に入るのが大好きですが、温度の下がった浴室で急に高温のお湯に入るようなことは極力避けてください。

これは、急激な温度変化によって健康に障害が出る「ヒートショック現象」の可能性があるからです。

急に暖かい場所から寒い場所へ、あるいはその反対に移動すると、血圧が急激に変わり、とくに高齢者や高血圧症患者の方は心筋梗塞や脳卒中などが起こりやすい状態になります。

家庭内でこのヒートショック現象によって亡くなる人の数は、全国で平均すると毎年一万四〇〇〇人近くとのことです。これは、交通事故で亡くなられる方の二・四倍にもなります。車の行き交う道路よりも、冷たい浴室で高温のお風呂に入ることのほうがよほど危険だということです。

理想の入浴温度は四一度です。

それ以上熱いのも、ぬるいのもお勧めできません。

じつは、四一度以下が副交感神経を優位に保つために最適な温度なのです。四二度以上だと交感神経が刺激されてしまいますし、だからといってお湯の温度が低すぎると、今度は「体温を上げる」という本来の意味をなさなくなってしまいます。

冷え性や高齢の方には、心臓や肺への負担をより少なくするために半身浴をお勧めします。ただ、長時間入浴すると脱水症状を引き起こす危険性もあるので、水分補給を心がけながら入るようにしてください。

半身浴では、みぞおちの下まで、下半身を中心に二十〜三十分くらいゆっくりと時間をかけてお湯に浸かります。そうすることによって、体の芯まで温めることができます。

最近は、家庭のお風呂でも湯温調整ができるようになっているので、あらかじめ四一度に設定しておくといいでしょう。

よく注意して見ると、一流のスポーツクラブやゴルフ場、ホテルや旅館では、みな湯温は四一度に設定、管理されていることに気づくはずです。

それはもちろんお客様の体にとって一番いい環境を提供するというサービスの意味もあるのですが、それと同時に、万が一の事態が発生したときに、「われわれとしては生理学的に最適温度のお風呂を提供しています。もしそれで問題が生じた場合は、当店としては責任を負いかねます」という施設サイドの保険でもあるのです。

ぜひ機会があったら、そうした施設の湯温をチェックしてみてください。きちんとした施設であれば、ちゃんと四一度を示しているはずです。

神様が定めた人間の体温は三七度

この章ではいろいろ細かいことをお話ししましたが、すべて目的は、最低でも一日一回、体温を三七度に上げる習慣を身につけることです。それとあわせて、体温を恒常的に上げるべく、筋肉を鍛えることに目を向けてほしいと思います。

なぜなら、体温を上げることによって、病気になりにくい健康な体になり、人生の質を高められるからです。

人間は幸せを手に入れようと、いろいろなことに頑張りながらここまで進化してきました。でも、ちょっと頑張りすぎてしまったようです。

私には、そのひずみが低体温となって、人間に本来の幸せに立ち返るよう教えてくれているような気がしてなりません。

頑張って働いて、ストレスに耐えて、あなたの体はもう悲鳴を上げています。その悲鳴が「低体温」です。

人間の体温は、本来、三七度が自然なのです。

鳥の体温は四二度と人間よりずっと高く、豚や牛の体温は三八度と人間よりも少し高めです。生きものにはもともと、その動物の運動量に即した適温が定められているのです。その適温が、人間の場合は三七度なのです。

私たち人間は、さまざまな文明の利器を発明し、生活を豊かに便利にしてきました。でもその結果、自分たちの生活環境を自然から大きく引き離してしまいました。

低体温は、私たちがみずから自然の摂理からはみ出してしまった結果なのかもしれません。

太陽のリズムに合わせた規則正しい生活を送り、太陽が昇っている間は体をきちんと動かし、太陽が沈んだらちゃんと体を横たえてゆっくり休む。私が本書で述べてきたのは、そんな自然の摂理に立ち返った生活を現代社会で送るためのヒントだといえます。

神様が定めた人間の体温は「三七度」。

一日一回、その体温を意識して、体温を上げる努力をすることは、自然を尊重した生き方をすることにほかなりません。

人は昔、車や電車に乗ることなく、すべて自分の足で歩いて、いまでは考えられないくらい大きな距離を移動しました。

つい百年ほど前まで、ほぼすべての仕事は肉体労働といってよく、パソコンのキーボードを打つのが仕事の大部分といういまの時代は、人間という生きものにとって、自然ではないのです。

昔に比べ、人間の運動量はあきらかに落ちています。低体温の人が増えてきたのは、ストレスに人間が対応できなくなったことに加え、筋肉の質と量が低下したせいです。

一日一回、体温を一度上げる努力をする。

筋肉を鍛えて、体温が少しずつアップしていくような生活をする。

原始時代の生活に戻れない私たち人間は、自分自身の責任で、それをやっていくしかないのです。

体温を上げると健康になる。ひいてはそれが幸せにつながる。

私が本書でお伝えしたかったことは、このひと言に尽きるでしょう。

おわりに

私が十歳のときのことです。

ある日、父から、囲碁を習うように命じられました。

当時の私にとって、それは苦痛以外の何物でもありませんでした。

なぜなら、友だちは公園で野球をしているというのに、私は囲碁を打たなければならない。つまり、友だちといっしょに遊べないのです。

しかも、私が通わされた緑星囲碁学園というところは、多くのプロ棋士を輩出している学校で、囲碁のトレーニングはもちろん、躾（しつけ）も日本一厳しいことで知られていました。

ガキ大将で野山を駆けまわっていたい当時の私としては、声を張り上げて「もう行きたくない！」といいたかったのですが、漫画『巨人の星』の星一徹ばりに厳しかった父に対して、とてもではありませんが、そんなことはいいだせません。

そんなことをいえば、ゲンコツを食らうのはわかりきっていました。

だから当時の私にできたのは、「なんでオヤジはこんなつらい修行をおれにさせるんだろう」と、一人でそっとつぶやくことだけでした。

そんな毎日は、私にとってストレスそのものでした。

いやいややっているのですから当然ですが、囲碁もなかなか強くなりません。

でも、負けて帰ると父に怒られます。

それがいつしかものすごい恐怖になっていた私は、あるとき、負けたのに勝ったと嘘(うそ)をついてしまいました。

そのときはなんとかうまくしのいだつもりでしたが、嘘はやがてばれます。

私が嘘をついたと知ったときの父の怒りようといったら……。あれほど怒った父を見たのは、あれが最初で最後です。

それでも囲碁をやめさせてもらうことはできず、私はストレスを抱えながら学園に通いつづけました。

そんな私が囲碁を楽しめるようになったのは、皮肉にも中学受験のために囲碁をいったんやめたときでした。

もう道場に行かなくていい、囲碁もしなくていい、と囲碁から解放された途端に、テレビで見たプロ棋士の対局が気になりだしたり、囲碁の週刊誌を見てプロの碁を自分で碁盤に再現してみたり、そんなことをするようになったのです。

そうして楽しめるようになると、囲碁は自然と強くなっていきました。

そして中学に入り、囲碁を再開すると、今度は全国大会に行くほど強くなっていったのです。

強くなるとさらにおもしろくなるので、もっと勉強して強くなる。

さらにそのころから、私のモチベーションをかき立てる存在が登場します。

全国大会に行くと出会うかわいい女の子に、私はほのかな恋心を抱いたのです。

全国大会に行けば彼女に会える、そこで勝てば彼女にリスペクトしてもらえる。

そんな単純な動機でひたすら頑張った私は、中学三年のときに、とうとう日本代表として香港で行われる世界青少年囲碁大会に出場する権利を勝ち取りました。

日本代表の枠は二人。

そして、なんと、そのもう一人に憧れの彼女が選ばれたのです。

私は天にも昇る気持ちでした。

ところが、現実は甘くありません。世界大会の直前になって、スケジュールの関係で彼女が来られなくなってしまったのです。もう奈落の底に突き落とされたように落胆しましたが、世界大会まで行くとさすがにすばらしい人たちとの出会いがあり、私は将来どんな仕事に就こうと、囲碁は一生続けていこうと、そのとき思ったのです。

その後、私は医者になりました。

父に「医者か弁護士か、どちらでもいいから専門職になりなさい」といわれていた私は、ここでも押しつけられた将来像に反発を感じていました。

法学部に進むのか、医学部に進むのか、十七歳になっても決心がつかなかった私が医師になろうと決めたのは、やはり囲碁がきっかけでした。

同じ緑星囲碁学園に通う三つ年下の後輩が、骨肉腫(こつにくしゅ)になってしまったのです。

骨肉腫は難治性のガンです。彼の場合も骨から肺に転移し、肺からあらゆる臓器に転移し、結局、足の切断を含む八回もの手術をしました。

私にとって弟のような存在だった彼の闘病生活が、私に医学部へ進む決心をさせたのです。

私は受験勉強をしながら、毎日のように彼を見舞いに、病院へと通いつづけました。

彼も私が医学部に進むことを決めたというと、とても喜んで応援してくれました。そんな彼は、私が医学部に入学したのを見届けて間もなく、息を引き取りました。


なぜ彼はガンになってしまったのか。

ガンにならないように生きていくことはできなかったのか。

そもそも人はなぜ病気になるのか。


彼を失ったことで、私の心の中にいくつもの大きな「問い」が生まれたのです。

こうして医者になった私は、これらの「問い」の答えを求めるべく、心臓外科、産婦人科、脳外科、小児科、眼科、透析、内分泌科、消化器内科をそれぞれ二か月から二年かけて、研修を積んでいきました。その後、アメリカで三年間、勤務医として働き、感染症の勉強をすべく、ジンバブエ、ボツワナ、南アフリカにも渡りました。

現在、私は医師として日本とアメリカを行き来する生活を送っています。また、日本・アメリカ・ヨーロッパそれぞれで認定された、アンチエイジングの専門医でもあります。

いまになって振り返ってみると、これでよかったのだとあらためて思えるのです。なぜなら、日本のみならず、アメリカやアフリカで多くの医師と仕事をともにし、さまざまな医療現場を体験することができたことが、人の体というものをトータルに診断していかなくてはならないこれからの医療に、役立つと思えるからです。

そしていま、人はどうして病気になってしまうのか、どうすればそれを防ぐことができるのか。そんな医療の根本について考察できるようになったのも、さまざまな分野から人の体というものを見てきたおかげだと思っています。

医者というのは、ストレスも多く、ハードな仕事です。

でも、そのハードな仕事やストレスを、たんにつらいと思うのではなく、人々の健康に役立つ仕事ができていると前向きにとらえられる自分になれたのは、子どものころ、あんなに嫌だった囲碁を続けてきたことが糧になっているのだと痛感しています。

ストレスが万病の素とはよくいわれることですが、じつはストレスには嫌だ、不快だと感じるネガティブなストレスと、プレッシャーはあるけれど同時にワクワクするような思いを伴う「ユーストレス」の二種類があるのです。

「ストレス」と「ユーストレス」。

はたから見ると、その人が置かれている厳しい状態は同じです。でも、そこに何を見いだすかで、人はその状況をストレスにもユーストレスにもすることができるのです。

私にとっての囲碁は、まさにそれでした。小学生のときの私にとっては、囲碁はストレスそのものでした。でも、中学生になったころには、そこにやりがいや楽しみを見いだすことによって、同じ囲碁がユーストレスになったのです。

つい先日、私は初めて父に、「なぜ私に囲碁をやらせたのか」とたずねました。するとと父はひと言、「精神修行によいと思ってな」と答えました。もう脱帽でした。

父は、私に欠けている資質をきちんと見抜き、将来私が生きていくためにもっとも大切なものを得られる場所にちゃんと導いてくれていたのです。

この年になって、あらためて思うのは、緑星囲碁学園で学んだものの大きさです。そこには人との出会いも含めて、私の人生にとって大切なものが詰まっています。

いま、私は、医師としての修業期間を終え、そこで学んだものを多くの人の健康のために生かしていくという道のスタートラインにやっと立てたという感覚でいます。本書が、皆様の健康のお役に立てば、これほど嬉しいことはありません。

二〇〇九年二月

著者

齋藤 真嗣（さいとう・まさし）

米国ニューヨーク州医師。1972年生まれ。日米欧のアンチエイジング専門医・認定医の資格をもつ、自称「日本一腰の低い医者」。2008年９月よりニューヨークのマンハッタン５番街にクリニックを開設。日本とアメリカを行き来しながらエイジング・マネジメントの普及に努めている。アンチエイジングの面からゴルフを考察した『ゴルフで老いる人、若返る人』（小社）が話題に。一介の医者ながら、なぜかビル・ゲイツ、ビル・クリントン、ベッカム、アレックス・ロドリゲスらと親交のある、不思議な縁の持ち主である。

体温を上げると健康になる

2009年３月25日 初 版 発 行
2009年９月30日 第18刷発行

著　者　齋藤真嗣
発行人　植木宣隆
発行所　株式会社 サンマーク出版
　東京都新宿区高田馬場2－16－11
　(電)03－5272－3166
印　刷　中央精版印刷株式会社
製　本　株式会社若林製本工場

ISBN978-4-7631-9890-7 C0030
ホームページ　http://www.sunmark.co.jp
携帯サイト　http://www.sunmark.jp